GUÍA PARA CHICAS OCUPADAS

estar estupenda

Texto, ilustraciones y diseño © Carlton Books Limited 2004
De la edición española © EDITORIAL EVEREST S. A.
Carretera León-La Coruña, km 5 - LEÓN
ISBN: 84-241-1741-7
Depósito Legal: LE: 946-2005
Printed in China - Impreso en China

www.everest.es
Atención al cliente: 902 123 400

Dirección editorial
Lisa Dyer
Diseño
Zoë Dissell
Coordinación editorial
Lara Maiklem
Producción
Caroline Alberti
Ilustraciones
Lucy Truman

Título original
The busy girl´s guide to looking great
Traducción
Mª Luisa Rodríguez Pérez

GUÍA PARA CHICAS OCUPADAS

estar estupenda

CAROLINE JONES

EVEREST

CONTENIDOS

INTRODUCCIÓN

Llamada a las chicas ocupadas de todo el mundo: ¡por fin una guía para que podamos tenerlo todo!

Cuando las cosas se ponen feas, la mayoría de las mujeres no salen de compras. Sacrificamos los pequeños lujos que nos hacen sentir bellas, como limpiezas faciales, el yoga, comprar zapatos y la cocina sana. ¿Resultado? Nos sentimos decaídas, feas y un poco "enfermas".

Está muy bien ser una celebridad con un nutricionista, entrenador, maquilladora y peluquero personal, y tener tiempo para mantenerse siempre fabulosa. Pero ¿cómo va a competir una chica real cuando tiene que trabajar, lleva una vida social agitada, y tiene que hacer equilibrios entre las demandas de amigos y familia? La buena noticia es que ya no tienes por qué luchar más. Este libro se ha escrito para ayudarte a alcanzar tus deseos de belleza y salud sin desatender tu frenética agenda.

¿HAS HECHO **ALGUNA VEZ** ALGO DE **LO QUE SIGUE?**

- Intentar maquillarte de camino al trabajo.
- Saltarte el gimnasio porque has tenido que trabajar hasta tarde.
- Cenar comida "basura" porque estabas demasiado cansada para cocinar.
- Ponerte un vestido anticuado y poco favorecedor porque es el único limpio.

DE SER ASÍ, ÉSTE ES **EL LIBRO** QUE NECESITAS

Tanto si eres soltera como si eres madre trabajadora, esta divertida guía, llena de información, te enseñará cómo incorporar el ejercicio a tu rutina diaria, seguir una dieta sana y tener un aspecto estiloso y cuidado: todo ello, sin esfuerzo y en un tiempo mínimo.

CAPÍTULO 1 EJERCICIO

DECIDIDO: ¡PASEMOS A LA ACCIÓN!

He aquí cómo has de motivarte y ponerte en marcha. Un plan infalible para tener el cuerpo con el que siempre has soñado... sin pasarte horas en el gimnasio.

El ejercicio es el modo más **sencillo** para mejorar tu salud y tu figura: te ayudará a vivir más, potenciará tu autoestima y te hará sentir, en general, **más feliz** y llena de **energía**. Pero, aunque sabes de sobra lo importante que es el ejercicio y de verdad quieres **ponerte a tono**, tu agenda está a reventar y no ves modo de encajar ni una sola **actividad** más. ¿Te suena familiar? Consuélate, lo más difícil de hacer ejercicio con regularidad es lo de ponerse en marcha, y las primeras semanas son siempre las peores. No sólo no estás en **forma**, también estás intentando adaptarte a una nueva rutina.

Por desgracia, muchas de las que inician un **programa** de **ejercicios** lo abandonan al cabo de pocas semanas, y no llegan a alcanzar el objetivo. Aquí encontrarás las **pistas** necesarias para aguantar el tirón y ver rápidos resultados. Se han hecho estudios que demuestran que, si superamos los primeros dos meses, es probable que hagamos **ejercicio** a largo plazo. Más aun, una vez que empieces a trabajar con regularidad, lo más probable es que descubras que **te encanta** y no puedas pasar sin ello. Y por complicado que sea tu estilo de vida, siempre es más fácil buscar un hueco para algo que nos gusta.

Primero, **decide** qué quieres sacar del ejercicio y fíjate unos **objetivos** realistas. Tener un plan de *fitness* específico hará más fácil organizar el ejercicio. Recuerda consultar a tu médico antes de iniciar un programa de ejercicios físicos, en especial si estás embarazada o padeces alguna enfermedad o lesiones.

POR DÓNDE EMPEZAR

Utiliza esa voz interior que te dice que te pongas en marcha para preparar un programa de acción.

PLANIFÍCALO POR ESCRITO

Una vez que hayas identificado tus objetivos físicos específicos, trázate un plan de ataque. Redactar los objetivos así será un **recordatorio visual** que te ayudará a permanecer centrada, organizada y a controlar. Además, también hará que el plan parezca más formal y te animará a tomártelo en serio.

FÍJATE OBJETIVOS REALISTAS

Hasta una sesión a la semana es un éxito, ya que significa que estás haciendo **ejercicio con regularidad**. Se puede aumentar la frecuencia de las visitas a partir de ahí. No todo el mundo encaja en los "deseables" tres días a la semana, así que no te preocupes si no puedes con ellos. Piensa que dos por semana está bien... y tres es fantástico.

★ PISTA **Elige un día especial (dentro de unos dos meses) y planea la ropa que quieres llevar y la talla que habrá de tener. Visualizar lo guapa que vas a estar será un poderoso incentivo para seguir el régimen de ejercicios.**

FÍJATE UNA FECHA **LÍMITE**

Anota la fecha exacta en que quieres **alcanzar** tus objetivos. No hacerlo te llevará a un momento no especificado en el futuro, que prorrogarás una y otra vez y tal vez no alcances nunca.

DÍSELO A ALGUIEN MÁS

Si le confías tus planes a una amiga o compañero, tendrás más posibilidades de **éxito**: te sentirás obligada a seguirlos porque no querrás quedar en ridículo rindiéndote.

ANÓTATE **A TI MISMA**

Sin duda tendrás días ocupados en los que no podrás hacer ejercicio **espontáneamente**, así que hay que planificar de antemano. Sé firme e incorpora el ejercicio a tu agenda como si fuera una reunión importante a la que no puedes faltar.

CÓMO **SEGUIR** ADELANTE

Encontrar un modo fácil de hacer ejercicio todos los días te mantendrá **motivada** y centrada a largo plazo.

REPARTE EL TRABAJO

No tienes que hacer la sesión completa de un tirón. Si estás demasiado ocupada para perder una hora, puedes obtener los mismos beneficios con ejercicios esporádicos durante todo el día. Prueba con **15 minutos** al levantarte, 15 a la hora de la comida y 15 minutos al acostarte. Sin darte cuenta, habrás hecho 45 minutos de ejercicio ese día.

VE **CON CALMA**

Inicia los ejercicios de rutina con calma o puedes hacerte daño, y probablemente te agotes deprisa. Si no eres habitual de los gimnasios, empieza por algo fácil, como caminar rápido; hasta un **paseo corto** será buen ejercicio para tu corazón, tus pulmones y los músculos de tus piernas. Empieza andando de 5 a 10 minutos al día y ve añadiendo, poco a poco, 2-3 minutos cada vez.

NO ESPERES **RESULTADOS** AL INSTANTE

El ejercicio no cambia el cuerpo de la noche a la mañana, así que aunque no **notes ninguna diferencia** en una o dos semanas, no te decepciones y abandones. Suele hacer falta un mes para que cambie la forma del cuerpo, y entre tres y seis para que los resultados sean óptimos.

Hay otros beneficios. Junto con un mayor nivel de energía, empezarás a sentirte menos estresada y en general **más contenta**, así que toma nota de las mejoras cuando las notes. Tener presentes los beneficios obtenidos te mantendrá motivada.

Lista de motivaciones

★ Busca un tipo de ejercicio que sea divertido y conveniente a la vez. Si detestas correr, no inicies un programa de carreras: prueba con caminar deprisa. De igual manera, aunque te guste nadar, no es una buena opción si no tienes fácil acceso a una piscina.

★ Si te pones la ropa de deporte (incluso aunque no te apetezca hacer ejercicio), lo más probable es que acabes sudando... así que... ¡ya estás lista y vestida para hacerlo!

★ Imagina lo bien que te vas a sentir cuando hayas terminado tu sesión y luego lánzate a realizarla. Convéncete de que será lo mejor que vas a hacer en todo el día.

★ Elige a la más positiva de tus amigas como "motivadora". Háblale de tus objetivos y pídele que te anime si flaqueas. Un rápido recordatorio de lo que intentas lograr por parte de una tercera persona puede obrar maravillas.

★ Cambia el orden de los ejercicios o la motivación principal para mantener el interés.

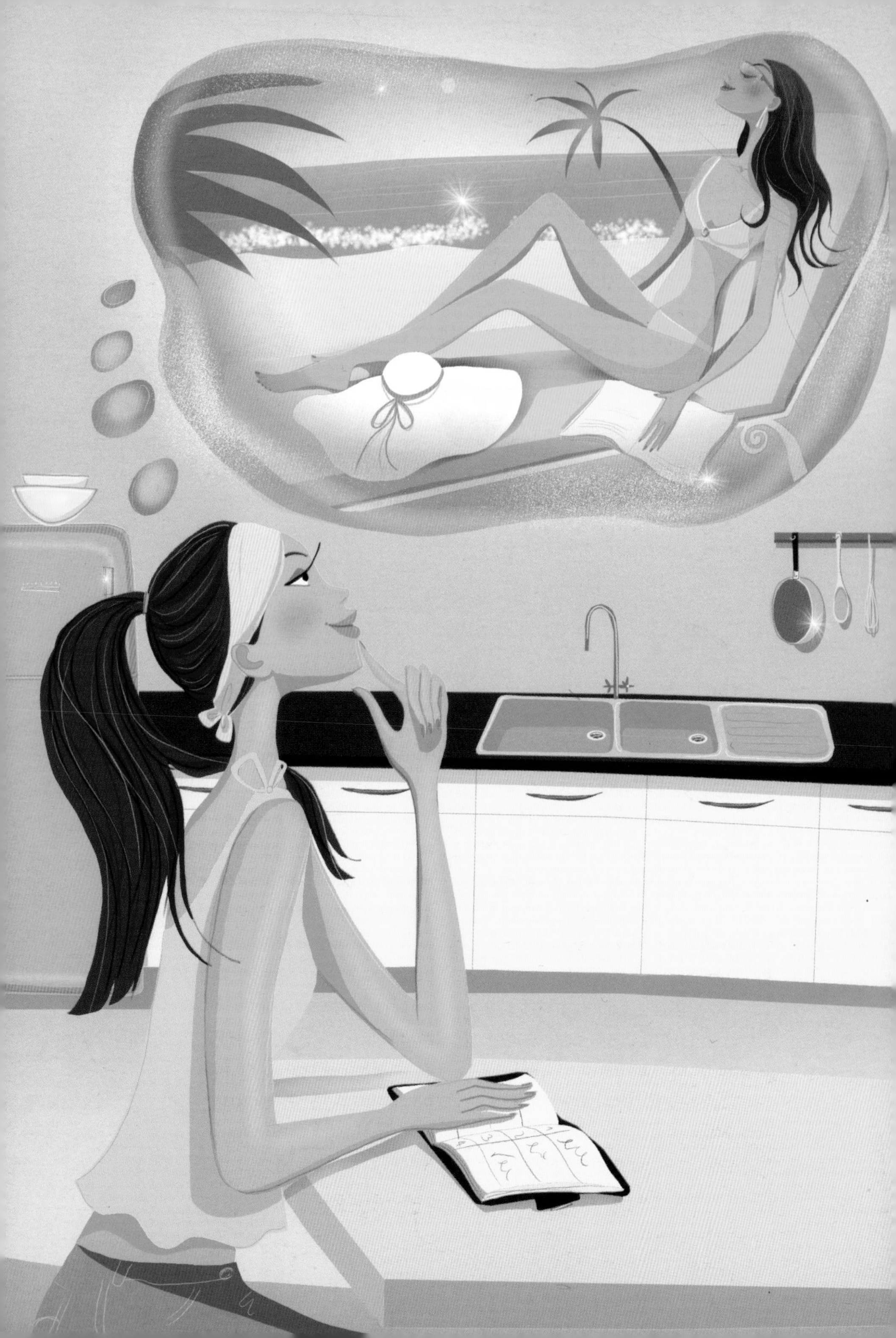

RECOMPÉNSATE A TI MISMA

Nada como una recompensa para hacer que te sientas bien por lo que has logrado y mantenerte motivada. Date **un homenaje** por cada logro en tu plan. Intenta escoger cosas que no estén basadas en la comida: ese *top* nuevo al que echaste el ojo hace tiempo, o un libro que hace siglos quieres leer. Y planea una recompensa especial para cuando alcances tu objetivo final: quizás un **viaje exótico** o unos zapatos de Manolo Blahnik.

¿Con cuánto ejercicio basta?

Informes del *Journal of the American Medical Association* y estudios de la Duke University (Carolina del Norte), muestran que 30 minutos de ejercicio moderado al día son suficientes para conservar la forma. Pero calma, esto no significa que haya que pasarse el día en el gimnasio. Caminar, subir escaleras, limpiar –y todas las actividades cotidianas que requieren algo de esfuerzo– también cuentan en el total. Aún así, un asombroso 70% de las mujeres no hace bastante ejercicio para conservar su salud o mantenerse delgadas.

Las 10 grandes ventajas de estar en forma

1. **Mayor confianza en tu cuerpo y en tu imagen corporal.**
2. **Pulmones y corazón más sanos.**
3. **Huesos y articulaciones más fuertes; menor riesgo de osteoporosis, enfermedad que debilita los huesos.**
4. **Los niveles de estrés bajan.**
5. **La calidad del sueño mejora.**
6. **Te sentirás más alegre, menos propensa a la depresión.**
7. **Crecen los niveles de energía.**
8. **Tu cerebro estará más alerta y rápido.**
9. **Menor riesgo de desarrollar la mayoría de los cánceres, incluido el de mama.**
10. **Menos probabilidades de sufrir problemas de espalda al envejecer.**

MITOS DEL EJERCICIO AL DESCUBIERTO

Hay muchos mitos sobre el ponerse en forma, capaces de quitarle a uno las ganas antes de empezar. Por fortuna, en su mayoría, simplemente son falsos. Por ejemplo, mucha gente cree que hay que pasar dolor para sacar beneficios del ejercicio, o que tendremos que dedicarle todo nuestro tiempo libre para ponernos en forma. Es todo falso, y he aquí otros cuantos mitos que desmentir.

MITO 1: SI TE EJERCITAS, PUEDES COMER TANTO COMO QUIERAS

Falso. No podemos atiborrarnos de comidas altas en grasa y azúcares sólo porque hagamos ejercicio. Para perder peso y no recuperarlo, tendrás que combinar una **dieta equilibrada** sana con el ejercicio, lo que significa comer menos grasas, menos azúcar y más frutas y verduras.

MITO 2: PARA ESTAR EN FORMA HAY QUE IR AL GIMNASIO TODOS LOS DÍAS

Falso. Con 30 minutos al día basta para estar en perfecta forma.

MITO 3: LAS MUJERES QUE **LEVANTAN PESAS** DESARROLLAN MÚSCULOS ENORMES

Falso. Las mujeres no tienen suficiente testosterona para desarrollar **músculos prominentes** y grandes; el uso de pesas ligeras no hace que las mujeres desarrollen músculos (sólo puede hacerlo el uso de esteroides).

MITO 4: LA **REDUCCIÓN** LOCAL ES POSIBLE

Falso. Es triste, pero no se puede "quemar" grasa en un área específica del cuerpo haciendo ejercicio con ella. Aunque los **ejercicios de tonificación** tensan los músculos y les dan una mayor definición, sólo la combinación de ejercicio aeróbico regular y una dieta baja en grasas puede eliminar la grasa corporal.

MITO 5: SI NO **DUELE**, NO **SIRVE**

Falso. Hacerse daño no sirve para nada y puede producir lesiones serias. Es importante **esforzarse** un poco para fortalecer el corazón, los pulmones y los músculos, pero sin hacerse daño. El ejercicio no debe causar dolor.

MITO 6: EL MÚSCULO PESA **MÁS QUE LA GRASA** ASÍ QUE, CUANTO MÁS EN FORMA, MAYOR PESO

Falso. En realidad, el músculo no pesa más que la grasa corporal; es **más denso**, eso sí, por lo que 1 kg de músculo ocupará menos espacio en tu cuerpo que uno de grasa. Lo que es más, el músculo tiene un mejor riego sanguíneo y, por tanto, quema más calorías, incluso en reposo.

¿CUÁL ES TU PERSONALIDAD ANTE EL EJERCICIO?

Si eres como la mayoría, te habrás apuntado a un gimnasio al menos una vez en tu vida pero, por lo que sea, ya no vas por allí. Quizá te aburrías o simplemente no tenías tiempo. Uno de los problemas del ejercicio es que la idea generalizada de que "la misma talla vale para todos" no tiene en cuenta lo laborioso de tu trabajo o el tipo de persona que eres, y no puedes desperdiciar tiempo y energía intentando hacer que el ejercicio equivocado funcione para ti. Para encontrar tu régimen perfecto de ejercicio -que disfrutarás y seguirás- tendrás que ahondar algo más en lo que te hace funcionar.

Este test te ayudará a descubrir el mejor tipo de plan de ejercicio para que permanezcas motivada y te mantengas en forma.

P1 ¿CUÁL ES LA RAZÓN PRINCIPAL POR LA QUE QUIERES HACER EJERCICIO?

A Para tener una buena forma física.

B Para quemar calorías y perder peso.

C Para relajarme y escapar del estrés.

D Para conocer gente.

P2 ¿CÓMO CONCIBES UNAS VACACIONES PERFECTAS?

A Un período activo, con abundantes deportes acuáticos o navegación a vela.

B Un crucero tranquilo, que implique holgazanear mucho alrededor de la piscina.

C En algún lugar donde se pueda combinar el ejercicio con la exploración de la cultura local.

D Un centro de vacaciones, con una vida nocturna bulliciosa.

P3 ¿QUÉ ES LO QUE MÁS TE APETECE HACER TRAS UNA SEMANA ESTRESANTE EN EL TRABAJO?

A Hacer una limpieza general para sacarte la tensión de encima.

B Pasarte el sábado tumbada *a la bartola*.

C Dar un largo paseo por el campo.

D Organizar una gran salida nocturna con amigos.

P4 ¿QUÉ ES UNA BUENA SESIÓN DE EJERCICIO?

A Una que me deja dolorida y sudorosa.

B ¡Sólo llegar al gimnasio es todo un logro para mí!

C Una que me deje calmada y relajada.

D Una en la que conozca mucha gente nueva.

P5 ¿EN QUÉ CONSISTE TU DIETA?

A Compro mucha comida baja en calorías y grasas.

B Estoy muy ocupada, así que compro comida para el microondas.

C Es muy sana: mucha fruta, verdura y cereales integrales.

D Como normalmente durante el día, pero me salto a menudo la cena si voy a salir.

P6 ¿QUÉ ENUNCIADO TE DESCRIBE MEJOR?

A Ambiciosa, pero justa.

B Trabajadora y estresada a menudo.

C Considerada y tranquila.

D Extrovertida, amante de la diversión.

PREDOMINIO DE A: LA "ALCOHÓLICA" DEL EJERCICIO

Tu vida gira en torno a tus visitas al gimnasio o a las sesiones de entrenamiento para el último acontecimiento, ya sea una carrera o una competición patrocinada. Te gusta correr, dar vueltas y el entrenamiento en circuito... básicamente cualquier cosa que te obligue a forzar el cuerpo hasta el límite. Estás siempre pendiente de nuevas modas que probar, y te sientes inquieta e irritable si te **pierdes una sesión de gimnasio**. Te gusta ejercitarte sola y te lo tomas muy en serio.

Problemas potenciales

Sigue así y te quemarás, arriesgándote a sufrir una lesión. Además, puede instaurarse el **aburrimiento**, y descubrirás que cada vez sacas menos de tus visitas al gimnasio.

Cómo hacer que actúe a tu favor

¡Relájate! Devuelve la diversión a tus sesiones de gimnasia probando con algo **menos intenso**, pero igual de desafiante, como la salsa o las lecciones de danza del vientre. Dar clases en vez de las solitarias sesiones de gimnasio te mostrará la cara social del ejercicio. También te vendría bien mezclar las sesiones de gran energía con algo más suave y relajante para destensarte. El cuerpo necesita tiempo para descansar y recuperarse tras un ejercicio **intensivo**, así que prueba a incorporar unas clases de estiramientos o de Pilates a tu programa semanal. Esto te alargará los músculos, mejorará tu flexibilidad y reducirá tus niveles de estrés.

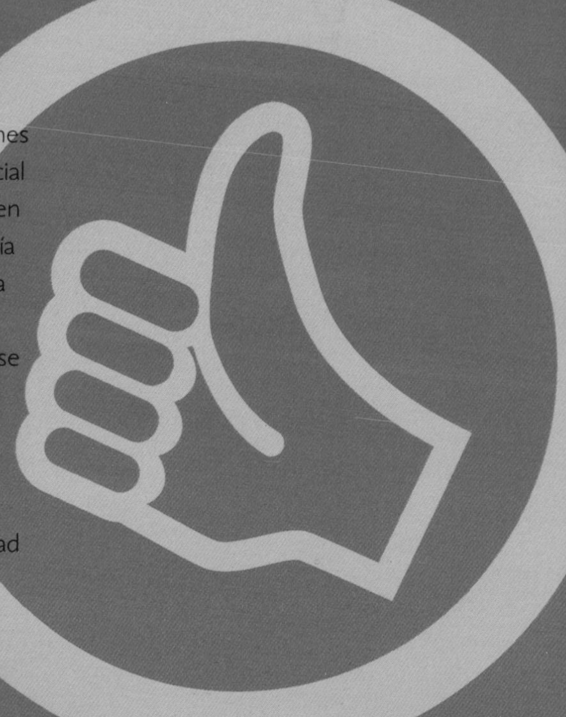

12:54:18

PREDOMINIO DE B: LA CONEJITA ESTRESADA

Apuntarse al gimnasio parecía una buena idea, pero las exigencias de un estilo de vida desenfrenado –incluyendo el **trabajo, la familia y los amigos**– significa que te es casi imposible establecer una rutina de ejercicio regular. Tus intenciones son buenas, pero si consigues **llegar al gimnasio** o encontrar tiempo para poner un vídeo de *fitness*, es un milagro.

Problemas en potencia

Lo probable es que pospongas el ponerte en forma hasta un futuro que nunca llega. Si te apuntas a un gimnasio y no vas porque estás **muy ocupada**, lo normal es que no lo hagas nunca. Será dinero tirado y no te pondrás en forma.

Cómo hacer que actúe en tu favor

Hay que convertir el ejercicio en una prioridad. La gente muy ocupada considera a menudo el ir al gimnasio (o incluso el hacer ejercicio en casa) una inútil pérdida de tiempo. Pero no es así. Estar en forma te mantiene sana, te ayuda a estar y sentirte mejor, y te hará rendir con mayor eficiencia en las demás áreas de la vida. Tienes que ver el ejercicio como una necesidad. Si realmente no tienes tiempo, un **entrenador personal** puede ayudarte a centrarte en tus objetivos y organizar mejor tu día, y las clases de yoga y tai chi también **reducen** los niveles de **estrés**.

★PISTA **Busca una máquina de entrenamiento para *cross* de segunda mano en la que saltar 10 minutos antes de la ducha. Son mejores que las bicicletas estáticas, pues hacen trabajar todo el cuerpo.**

PREDOMINIO DE C: **LA DIOSA ZEN**

Para ti el ejercicio es sólo parte de tu estilo holístico de vida. Te gusta la comida sana, los alimentos naturales y orgánicos, y disfrutar contactando con tu **lado espiritual**. De hecho, poner a tono tu paz interior es más importante para ti que aumentar la firmeza del interior de tus muslos. Esto significa que, si bien te gustan los largos paseos por el campo y practicas yoga con regularidad, nunca sudarás profusamente con un ejercicio aeróbico.

Problemas **en potencia**

Si bien el yoga tiene grandes beneficios para la salud y te dará un cuerpo a tono y flexible, realmente no hará trabajar al corazón y los pulmones. Luego, si éste es el único tipo de ejercicio que practicas, no estarás realmente en forma y no te beneficiarás de la reducción del riesgo de enfermedades del corazón y otras enfermedades graves que van de la mano del **ejercicio cardiovascular**. Aunque los paseos a buen paso ayudan a elevar el nivel del tono cardiovascular, han de ser regulares para que sirvan de algo. Y ten presente que, si quieres perder peso, el yoga y el Pilates no son formas de ejercicio para quemar grasas y, aunque tonifican el cuerpo, en realidad no reducen el peso corporal.

Cómo mantener la **motivación**

Alternar el yoga con clases cardiovasculares de mayor impacto mejorará tu resistencia y flexibilidad, lo que a su vez mejorará nuestro potencial para el yoga. Si quieres librarte de un exceso de peso, tendrás que **acelerar el tempo** de la sesión. Prueba algo como el *kickboxing* o el *jazz dancing*, que deberían atraer a tu lado creativo. El ciclismo y el *jogging* los fines de semana son también ideales, ya que te permiten disfrutar del campo, a la vez que hacen que tu corazón goze de una buena sesión de trabajo.

PREDOMINIO DE D: LA MARIPOSA SOCIAL

Para ti, lo mejor de ir al gimnasio o apuntarte a un *club* deportivo es la ocasión de hacer vida social y conocer gente. Por el lado malo, esto puede significar que, aunque vayas con regularidad, ejercitarte de verdad no esté entre tus prioridades reales, ya que te pasas el tiempo charlando y haciendo unas risas.

Problemas en potencia

Aunque ponerse en forma debiera ser divertido, que ejercites la mandíbula más que el resto del cuerpo significa que, en realidad, no estás mejorando tu forma física y modelando tu cuerpo. Un buen programa de ejercicios debería combinar sesiones en las que trabajes sola levantando pesas o haciendo estiramientos con **deportes de equipo** o clases compartidas con otra gente. Demasiado énfasis en lo uno o en lo otro puede llevar a un régimen desequilibrado y al aburrimiento y/o unos malos resultados.

Cómo permanecer motivada

Averigua si donde trabajas organizan deportes de equipo (como el voleibol o el *hockey*), de buena aceptación social, en los que conocerás gente nueva. La vida social del deporte suele extenderse mucho más allá de las canchas. Alternativamente, busca un gimnasio que ofrezca estas actividades. Siendo **extrovertida**, también sacarás beneficios de asistir a clases divertidas pero difíciles en tu gimnasio: la atmósfera de grupo te animará a trabajar más duro.

Queda con tus amigos del gimnasio a tomar una copa después de una sesión. Esto te dará una expectativa próxima, y desperdiciarás menos tiempo parloteando cuando deberías estar haciendo ejercicio.

Que el ejercicio trabaje para ti

1 Búscate un gimnasio cerca de casa o la oficina. Si está a más de 10 minutos, será demasiado fácil encontrar excusas para no ir.

2 Consigue que una amiga se apunte contigo. No sólo será más divertido, podréis animaros la una a la otra, y también te sentirás culpable si la dejas colgada.

3 Piensa en cuándo te sientes más activa. Si no eres una persona matinal, no tiene sentido planificar un programa que significa que tienes que hacer ejercicio antes de trabajar, ya que no tardarás en dejarlo. Si eres una persona matinal, encaja una sesión en la primera mitad del día; no te obligues tras el trabajo.

4 "Estoy demasiado cansada" no vale como excusa. El ejercicio te da más energía, por lo que a la larga te sientes menos exhausta. Además, libera endorfinas del bienestar en el cerebro, por lo que te sentirás más contenta y menos estresada después de hacer ejercicio.

5 Recompénsate tras una sesión de gimnasio con una sauna o un capricho (como una nueva loción para el cuerpo o una revista).

INCORPORA EL EJERCICIO,
SEA CUAL SEA TU ESTILO DE VIDA

TRABAJAS A TIEMPO PARCIAL

Si tu horario de trabajo es bastante **flexible**, no te costará combinar las sesiones regulares de ejercicio con ocasionales sesiones espontáneas.

Prueba

- Apuntarte a un gimnasio. Tu estilo de vida te permitirá usarlo mucho, lo que compensa la inversión. Si usas el gimnasio fuera de las horas punta, vale la pena buscar uno que ofrezca descuentos según el horario.
- Si te encuentras con una hora libre inesperada, úsala sabiamente y sal a correr o vete a nadar.
- Si trabajas por las tardes, sácale partido a las sesiones tempranas del gimnasio o la piscina. Hacer ejercicio por las mañanas potencia además tu metabolismo para el resto del día.

ERES UNA MADRE MUY OCUPADA

Si estás siempre de acá para allá, sin estructurar mucho el día, te será difícil hacerle hueco al ejercicio. Además, seguro que estás exhausta por intentar **sacarlo todo adelante**, y la idea de hacer ejercicio no te resulta atractiva.

Prueba

- Incorporar el ejercicio a tu rutina diaria. Sube y baja las escaleras a la carrera, haz flexiones mientras se hace la comida, o haz como que corres.
- Apúntate a una clase (de yoga, por ejemplo) de algo que puedas practicar en casa si te pierdes una clase por estar demasiado ocupada.
- Si también trabajas, intenta nadar o correr 45 minutos a la hora de comer para aprovechar así el tiempo en el que no tienes que estar pendiente de los niños.

TRABAJAS A TIEMPO **COMPLETO**

Si tu horario de trabajo es previsible, te será fácil incorporar el ejercicio a tu rutina. Esta previsibilidad, sin embargo, puede producir falta de **motivación**, lo que dificulta que te atengas a un programa con asiduidad.

Prueba

- Caminar o ir en bicicleta al trabajo cada dos días: potenciarás tu estado físico y ahorrarás dinero.
- Prepaga un curso de yoga a la hora de comer o tras el trabajo. Si ya lo has pagado, tenderás menos a saltarte una clase sin una buena razón.
- Convierte el ejercicio en un acto social y organiza salidas en bicicleta con los amigos los fines de semana.

TIENES UN HORARIO LARGO, **IRREGULAR**

Empiezas a trabajar temprano y acabas a menudo cuando el gimnasio está cerrado. A veces trabajas los fines de semana, con lo que hacer ejercicio es imposible. Intentar encajar ejercicios regulares en tu **agitada vida** puede ser una pesadilla.

Prueba

- Caminar deprisa tanto como puedas. Muchos segmentos de ejercicio acumulativo valen lo mismo que las sesiones largas: todo se suma.
- Si tienes una hora en la que no sabes qué hacer, utilízala con cabeza y vete a correr o nadar.
- Si te pasas el día ante un ordenador, no olvides levantarte y estirarte cada hora para prevenir problemas posturales.

EJERCICIO A LA HORA DE COMER

Si tu vida social es compleja, tienes hijos, un largo día de trabajo o las tres cosas juntas, la hora de la comida es, a menudo, el mejor momento para hacer ejercicio. Pero llegar al lugar, cambiarse, hacer ejercicio, ducharse y volver a la oficina sólo puede ocuparte esa hora. Hay que exprimirla a fondo. ¿Cómo aprovecharla de verdad?

Si quieres ejercitarte a la hora de comer, es buena idea pensar en actividades que impliquen un **mínimo de sudor** para no perder tiempo en el vestuario. De hecho, con algo de previsión, hay modos de aprovechar esa hora para hacer ejercicio.

NATACIÓN

Buena idea

Nadar es una gran idea si eres como un pez y te encanta hacer unos cuantos largos en la piscina, y es ideal si tienes lesiones de rodilla, tobillo u hombros.

Mala idea

No nades si te cuesta horas prepararte y **secarte el pelo**. No sólo te pasarás la mitad del tiempo en el vestuario; también te sentirás acelerada y agobiada cuando llegues de vuelta a la oficina.

CAMINAR DEPRISA

Buena idea

Caminar cuesta arriba en la cinta es estupendo para dar **tono** a los músculos de las pantorrillas, los muslos y los glúteos, y no acabarás tan sudorosa como cuando corres.

Mala idea

No está tan bien si el equipo de *fitness*, como la cinta, tiende a aburrirte, porque te comprometerás menos contigo misma a trabajar.

LEVANTAMIENTO DE **PESAS**

Buena idea

Levantar pesas un rato aumentará la masa no grasa de tus músculos y potenciará tu metabolismo, con lo que **quemarás más grasa** y calorías, y acabarás con unos brazos enjutos, esculpidos sin sudar mucho.

Mala idea

Si tienes alguna lesión o levantaste pesas ayer, tus músculos necesitan un día de descanso.

YOGA Y PILATES

Buena idea

Estas dos actividades aumentarán tu fuerza, flexibilidad y tono muscular. Lo que es más, pueden hacerlo sin que te acalores, con lo que no tendrás que ducharte después. Además, **reventarán tus niveles de estrés** si es que tienes un mal día.

Mala idea

Si haces ejercicio como parte de un programa de adelgazamiento, cambia una clase de yoga de 45 minutos por 30 minutos de trabajo cardiotónico, y usa los otros 15 para ducharte y hacer lo que tengas que hacer.

SALIR A DAR UN PASEO

Buena idea

Si hace buen tiempo y llevas calzado adecuado (es decir, sin tacones), **caminar deprisa** quema un buen número de calorías. También obtendrás una buena dosis de vitamina D, el nutriente producido cuando la **luz solar** toca nuestra piel y los niveles bajos de vitamina D se han vinculado a la depresión.

Mala idea

Si llueve o hace mucho frío, darás con una excusa para no salir o, si sales, no caminarás el tiempo suficiente para sacarle algún partido al paseo.

★ PISTA Si tienes que trabajar a la hora de comer, tómate 20 minutos después para un café, cuando se calmen las cosas, pero pasa de la cafeína y vete a dar un paseo rápido.

Cinco modos de facilitar el ejercicio a la hora de comer

1 Acuerda con tu jefe una hora de comer, temprano al mediodía o a última hora, para así evitar las horas puntas del gimnasio (de las 12 a las 2 de la tarde).

2 Busca un gimnasio cercano al trabajo para dedicar tiempo al ejercicio (no a llegar a él y regresar).

3 Aprovéchate de las toallas limpias que ofrecen en muchos gimnasios para ahorrarte la molestia de llevar las tuyas.

4 ¿Te crees muy ocupada para abandonar tu mesa? El ejercicio reduce el estrés y potencia la energía. Las investigaciones demuestran que los empleados son más productivos por la tarde si hacen ejercicio durante su hora de comer.

5 Recuerda que, haciendo ejercicio a la hora de comer en vez de dejarlo para después del trabajo, te sentirás fenomenal por la tarde cuando vuelvas a casa... ¡o salgas por ahí!

UNA DOBLE FUNCIÓN

¿Tienes el carné de un gimnasio que nunca usas? ¿Te has comprado el equipo necesario y está cogiendo polvo en un rincón? ¿Has roto **todas tus resoluciones** de ponerte en forma porque no consigues encontrar el momento adecuado? Tranquila. Aún puedes alcanzar tus objetivos, lo que necesitas es reprogramarte y planificar las cosas. Empieza por llevar un diario de cómo pasas tu tiempo libre, y después **siéntate y analiza** lo que has escrito al final de la semana. Es posible que descubras que puedes arañar 30 minutos más al día, o que puedes usar más sabiamente el tiempo que dedicas a tareas cotidianas. ¿Necesitas ver tanta tele por la noche, por ejemplo? ¿O podrías lavarte el pelo y secártelo por la noche para disponer de algo más de tiempo libre por la mañana?

Uno de los mejores modos de introducir más ejercicio en tu vida es tratar la actividad elegida como una oportunidad multitarea. Hay varias formas de hacer que el ejercicio desempeñe una doble función en tu vida.

NADA PARA LA **BENEFICENCIA**

Si pareces dedicar mucho tiempo a compromisos con otras organizaciones y ayudar a otros, y no eres capaz de decir "no" a ningún voluntariado, intenta encontrar un modo de sacarle partido respecto a tu forma física.

Las competiciones patrocinadas, triatlones y caminatas, requieren meses de entrenamiento, y son por una buena causa. ¿Qué mejor modo (o razón) para mantenerse en forma?

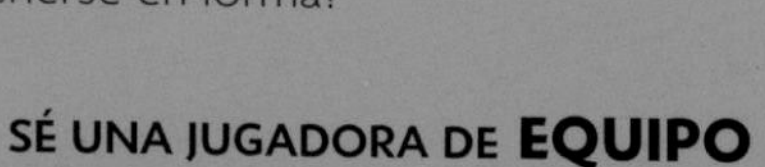

SÉ UNA JUGADORA DE **EQUIPO**

Unirse al equipo deportivo de la empresa (sea de fútbol o de béisbol) ofrece una gran combinación de relaciones, diversión y ejercicio. Puede hacer que parezcas más accesible a tus colegas, y potenciar tu confianza mejorando a la vez la **capacidad para el trabajo en equipo.**

VE A HACER UN **RECADO**

Ir a la carrera durante la hora de la comida para pagar facturas, hacer la compra y dejar la ropa en el tinte quemará muchas calorías. Y, ¡gran bonificación!, te ayudará a tomar el control sobre el resto de tu vida para que puedas relajarte y distenderte por la noche o estar libre para **salir y hacer vida social**.

★ PISTA ¿Usas la hora de la comida para arrasar en el supermercado? Aumenta el esfuerzo comprando en algún lugar que esté a más de 10 minutos andando del trabajo.

QUEDA CON UNA **PAREJA**

Tanto si sois amigos o lleváis una relación más sólida, o si vas de caza, las actividades deportivas que combinan lo social con lo físico son un buen modo de vincularse. Apuntarse a un club de corredores, de escalada o de tenis te ayudará a conocer gente con intereses similares, amigos y motivadores en potencia. Proponer un partido de tenis o una sesión de patinaje sobre hielo como primera cita es un modo estupendo y divertido de romper el hielo. Además, el subidón de energía tiene un **efecto afrodisíaco** y no tardarás en saber cómo es de verdad por el modo en que juega.

ECHA UNA MANO

¿Tienes una amiga que se va a mudar o que necesite ayuda para pintar su salón? ¿Necesita alguien de tu familia arreglar el desastre del jardín pero no se atreve a intentarlo ella sola? De ser así, ofrécete para ayudar a cargar cajas y muebles: puede ser como una sesión en la sala de pesas. Asegúrate de hacer **estiramientos ligeros** antes y después, e intenta no hacerte daño en la espalda. No sólo **quemarás grasa** y darás trabajo a todos tus grandes grupos musculares, también ganarás puntos con tus amigos y familiares sabiendo que has ayudado a alguien.

BÚSCATE UN INCENTIVO CON CUATRO PATAS

Si buscas un incentivo para hacer ejercicio, puedes rescatar un perro abandonado de un centro de animales. Te sentirás bien por ofrecer un hogar a un animal muy necesitado y, ya que a los perros hay que pasearlos todos los días, **no tendrás excusa** para no ponerte en forma.

Empieza con un paseo habitual de 30 minutos. Cuando tu perro se habitúe a pasear contigo, te rogará que pases más tiempo con él, y serás incapaz de decirle que no si le miras a sus **grandes ojos** suplicándote. Además, tiene que haber otros beneficios ocultos para la salud, a la vista de que los estudios muestran que la gente que tiene mascotas vive más que la que no, pues tenerla reduce los **niveles de estrés** y la tensión sanguínea.

MEJORA TU TONO PARA ESTA NOCHE

Son las siete, has quedado dentro de una hora y quieres estar estupenda, pero te sientes un poco flácida y ya no da tiempo a hacer régimen. ¡Calma! Hay una alternativa. Como parche de emergencia, prueba este sencillo ejercicio; engrosará y tensará de momento tus músculos, haciendo que parezca que tu tono es mejor de lo que es cuando llega tu esperada cita. Y lo ideal es que no hay que ir al gimnasio: puedes hacer todos los movimientos en tu propia casa.

QUÉ HACE Y CÓMO LO HACE

Estos cinco ejercicios clave darán "tono puntual" a tu cuerpo y, además, rápidamente. Proporcionan volumen y definición a tus músculos, con lo que tu cuerpo resulta más estilizado y firme en tu vestido de fiesta. Este método se basa en el **"principio del bombeo"** forzando la llegada de sangre a los músculos y dándoles volumen, mejorando su definición y haciéndolos parecer más prietos y con mejor tono a corto plazo. Aunque hacer estos ejercicios una hora antes de salir te ayudará a estar estupenda un par de horas esa noche, hacerlos regularmente produce resultados más duraderos.

TU EJERCICIO DE 15 MINUTOS

Olvídate de rutinas complicadas y equipos sofisticados de gimnasio, puedes hacer estos sencillos movimientos en cualquier lugar ¡hasta viendo la tele!

Para tener unas pantorrillas ESCULPIDAS

En pie, con los pies separados poco más que el ancho de las caderas y algo vueltos hacia afuera, cruza los brazos. Mira hacia delante e **inspira,** doblando las piernas para formar un ángulo recto, bajando el cuerpo pero manteniendo la espalda recta. Extiende las piernas mientras exhalas. Repetir 25 veces.

Para unas nalgas más PRIETAS

Túmbate boca arriba con las rodillas dobladas y ligeramente separadas. Después, mantén los pies planos sobre el suelo, los brazos a los costados y las caderas ligeramente levantadas del suelo. Mantén los **abdominales contraídos**. Espira levantando un poco más las caderas y tensa mucho las nalgas, juntándolas. Inspira y vuelve la espalda a su posición de partida. Repetir 25 veces.

Para tonificar los BRAZOS

Busca una silla sólida y pon las manos sobre el respaldo, separadas el ancho de tus caderas. Aléjate un poco de la silla para que tu peso quede distribuido por igual entre tus manos y tus pies. Mantén las caderas bajas y las rodillas dobladas y mira hacia delante. Inspira y dobla las rodillas hasta que estén en **ángulo recto**, manteniéndolas ligeramente hacia dentro. Para completar el ejercicio, extiende a medias los brazos espirando. Repetir 25 veces.

Para unos ABDOMINALES más planos

Túmbate boca arriba con las dos piernas levantadas desde las caderas en ángulo recto con el suelo, con los dedos de los pies hacia el techo. **Sujétate la cabeza** con una mano en cada oreja. Levanta la cabeza y los hombros del suelo y mantenlos así todo el ejercicio. Gira el torso hasta que el codo derecho toque la rodilla izquierda. Vuelve al centro. Gira hacia el otro lado, llevando el codo izquierdo hasta la rodilla derecha. Repetir 25 veces en cada lado.

Para unos muslos más ESBELTOS

Túmbate en el suelo con las manos bajo las nalgas como apoyo, manteniendo la cabeza hacia atrás, los pies flexionados y las rodillas ligeramente dobladas. Abre lentamente las piernas hacia los lados hasta que te "duela", espirando. Volviendo a la posición inicial, juntar las piernas e inspirar. Mantén los **músculos de la tripa** siempre tensos. Repetir 25 veces.

EJERCICIOS PARA FÓBICAS

Si patear la cinta o trabajar las pesas en el gimnasio es una tortura para ti, o si estás demasiado ocupada para visitarlo, consuélate: muchas actividades diarias pueden quemar calorías y **tonificar** tu cuerpo. Así, si sumas suficientes brotes de actividad breve a lo largo del día, ni siquiera tendrás que arrastrarte hasta el gimnasio.

La clave del éxito es ese poco más de esfuerzo. En otras palabras, asegúrate de moverte vigorosamente y sudar un poco durante unos 30 minutos todos los días.

¿Incrédula? Sigue leyendo y descubrirás cómo puedes hacer que **cosas corrientes** como ir de compras, hacer el amor o el trabajo de casa te ayuden a estar en forma.

LABORES DOMÉSTICAS

Según investigaciones del Medical College de Wisconsin (Milwaukee), limpiar, pulir y pasar la aspiradora pueden ser tan útiles **contra la grasa** como una sesión en el gimnasio. Si no tienes tiempo para ejercitarte a menudo, tómate las tareas domésticas como una ocasión para quemar calorías y poner en forma el corazón y los pulmones. Dedica tiempo y energía a las labores de la casa y obtendrás un doble beneficio: un cuerpo en forma y una casa limpia.

Calorías quemadas en 60 minutos:

- Lavar el coche: 330
- Limpiar las ventanas: 170
- Hacer la cama: 120
- Planchar: 105

★ **PISTA** **Hacer la limpieza es bueno para el tono muscular de los brazos, pero mantén también el estómago plano metiendo la tripa al trabajar.**

IR DE COMPRAS

¡Es el nuevo aeróbic! Caminar deprisa cargando bolsas de la compra puede ser un modo eficaz para quemar calorías y ponerse a tono. Ve a la carrera a las tiendas (en vez de en coche o en autobús) para maximizar los efectos. Llevar bolsas pesadas ayuda también a **esculpir los músculos de los brazos**, pero asegúrate de llevar igual peso en las dos manos para así evitar problemas de espalda.

Cómo aprovechar más el ejercicio de la compra:

- Sube las escaleras en vez de las escaleras mecánicas en todos los grandes almacenes que visites.
- Come antes de salir: te ahorrarás la tentación de atiborrarte de golosinas y chocolate por el camino.
- Si has quedado con una amiga para comer e ir de compras, no esperes a estar hambrienta antes de comer... o acabarás excediéndote. Además, piensa en ir a algún lugar donde sirvan comida sana y baja en grasa.

JARDINERÍA

Buenas noticias si se te dan bien las plantas y odias el gimnasio: la jardinería puede ser tan beneficiosa como una sesión de cinta. Rastrillar las hojas y cortar el césped son dos opciones excelentes. Mientras **te esfuerces** lo suficiente para acelerar el corazón y la respiración, estarás haciendo mucho bien a tu cuerpo. Además, obtendrás el beneficio de estirar y fortalecer los músculos. Con este tipo de ejercicio tomarás mucho el aire y liberarás mucho estrés y, por supuesto, tus plantas prosperarán contigo.

Calorías quemadas en 60 minutos:

- Cavar: 300
- Rastrillar las hojas: 200
- Quitar las malas hierbas: 200
- Cortar el césped: 150

SEXO

Hacer el amor con regularidad es uno de los mejores y más agradables métodos de perder algo de peso: 30 minutos en la cama queman alrededor de 150 calorías. También mejoran la circulación, disipan el estrés y **mejoran el ánimo**. Y recuerda, cuanto más dure, mejor será para tu salud.

Hasta los besos son un buen ejercicio, ya que usas una multitud de músculos faciales que se tonifican (lo que previene la aparición de arrugas).

★ **PISTA** **Elige una posición en la que tengas que esforzarte más si quieres maximizar el número de calorías quemadas (tú encima, por ejemplo).**

6 modos más de ponerse al día sin darse cuenta

1. **Pasa del mando: levantarte cada vez que quieres cambiar de canal puede llegar a quemar 100-150 calorías.**
2. **No mandes correos electrónicos en el trabajo, acércate a tus colegas para hablar con ellos.**
3. **No cojas nunca el ascensor y sube las escaleras.**
4. **Intenta ir al baño en cada piso de tu trabajo, y usa las escaleras para llegar allí.**
5. **Compra algún equipo de *fitness* y úsalo en cuanto tengas unos minutos libres.**
6. **Lleva las bolsas a casa de una en una cuando estés descargando la compra del coche.**

EL EJERCICIO EN EL TRABAJO

Las fechas límite se acumulan; hay llamadas que hacer y correos que enviar, así que tendrás suerte si puedes comer un emparedado... ¿Te suena? Hay veces que, te pongas como te pongas, estás **demasiado ocupada** para ir al gimnasio. ¿Significa esto que tiras por la ventana tu programa de ejercicios y que vas a empezar a engordar? No, si aplicas un poco el pensamiento transversal.

Las oportunidades de hacer ejercicio abundan en el lugar de trabajo, e incluso hay algunos movimientos que puedes practicar sentada ante tu ordenador sin que tu jefe/a se enteren de lo que estás haciendo.

USA UN BALÓN

Cómprate un balón de ejercicios y úsalo en lugar de la silla. Dado que sentarte en él te obliga a usar **tus músculos "nucleares"**, esta sencilla sustitución fortalecerá tus abdominales y músculos lumbares, y mejorará tu postura en general (sin siquiera intentarlo).

LEVÁNTATE

Haz que tu reloj o tu móvil te **avisen cada hora** (¡pero baja el volumen para no molestar a tus colegas!). El sonido te recordará que tienes que levantarte y darte una vuelta varias veces al día. Hasta un paseo hasta el baño o la máquina del café te servirá para quemar unas cuantas calorías, estirar los músculos y aliviar el estrés.

PASO A PASO

Cómprate un podómetro (disponible en la mayoría de las tiendas de deportes buenas). Es un aparato pequeño y discreto que te puedes sujetar al cinturón y te dice exactamente cuantos pasos das al días. Te animará caminar siempre que puedas para acumular un total cada vez elevado, y luego para batir tu propio récord. Para mejorar tu forma y **quemar el máximo de calorías** deberás intentar dar de 6 000 a 10 000 pasos al día.

NO TE LO PONGAS **FÁCIL**

Aunque sea tentador cuando estás ocupada, olvídate de optar siempre por lo más fácil. Sube el tramo de escaleras al departamento al que envías un memorándum en vez de usar el correo interno. El ejercicio también te ayudará a despejarte si padeces un vespertino bajón de energía.

HAZ COMO **MADONNA**

Cómprate unos auriculares con micro para el teléfono de la oficina y podrás caminar mientras hablas. Si no es posible, recuérdalo: **tómate tiempo** entre llamadas para estirar los brazos y evitar tensiones cervicales. Además, sólo levantarte de la silla quemará algunas calorías.

DATE UNA **VUELTA**

En vez de tomarte un café, ve a darte un "**paseo de descanso**" por la oficina. Y, a la hora de comer, en vez de pasarte la hora entera comiendo, dedica algún tiempo a salir a la calle para darte un paseo.

HAZ TU OFICINA **AMIGA DEL EJERCICIO**

Las investigaciones han demostrado que el ejercicio puede a la vez reducir el estrés y hacer más productivo el trabajo; así que, si en tu oficina, como ocurre a veces, existe la política tácita de saltarse la comida, ¡cámbiala! No tienes por qué trabajar en este período, júntate con tus compañeros de trabajo y empieza a tomarte tu **hora de la comida íntegra** aunque estés muy mal de tiempo, e intenta salir a pasear durante 15 minutos. Mejor aún, anima a tus colegas a que te ayuden a convencer al jefe de que llegue a un acuerdo con algún gimnasio local para que ofrezca precios especiales a los empleados de la empresa para pasar la hora entera en él.

5 ejercicios para hacer **sentada en tu mesa**

1 Machacar abdominales

Tensa los abdominales sentada a tu mesa. Al espirar, mete la tripa, expulsando el aire. Métela todo lo que puedas y tan deprisa como puedas y luego relájala de nuevo mientras llenas de aire los pulmones. Repetir 10 veces.

2 Fortalecer la espalda

Siéntate muy recta en la silla con los pies planos en el suelo. Relaja todo el cuerpo mientras tensas el abdomen hacia la columna vertebral y espiras. Dobla el espinazo hacia arriba y deja que la parte baja de la espalda descienda hacia el suelo. Aguanta así cinco segundos, luego relaja los abdominales. Repetir 10 veces.

3 Estiramiento del cuello

Sentada en tu silla, arquea la espalda hacia atrás y vuelve la cabeza a la derecha. Inspira y espira. Luego, vuelve la cabeza a la izquierda, con la espalda aún arqueada, inspira y espira. Finalmente, vuelve la cabeza al centro. Repetir todo el esquema 10 veces.

4 Bálsamo para los brazos

Ponte de pie, a unos 60 cm de la mesa. Apoya en ésta las manos y mantén los brazos estirados. Luego dóblalos hasta que tu barbilla esté a unos 3 cm de la mesa. Estira de nuevo los brazos, enderezando el torso. Luego dóblalos de nuevo, recordando inspirar y espirar de principio a fin, repitiendo el ejercicio 10 veces.

5 Tonificar las piernas

Sentada en tu mesa, extiende una pierna hacia delante. Levántala unas pulgadas del suelo y manténla así unos 20-30 segundos (bajando la pierna antes si te empieza a temblar). Ahora, repite el movimiento con la otra pierna. Al ir fortaleciendo tus piernas, puedes seguir tonificando sus músculos -o, incluso, forzarlos un poco más- usando tobilleras de pesas. Repetir 10 veces.

DEPORTE EN FAMILIA

Si eres madre y haces filigranas con los niños, el trabajo y la vida social, el ejercicio no será prioritario para ti, por lo que es difícil que te pongas en forma.

La respuesta es incorporar los paseos, la natación, los juegos, etc. en familia, para que así no te parezcan una tarea pesada ni te ocupen mucho tiempo. Mejorará tanto tu **forma física** como la de tus hijos.

POR DÓNDE EMPEZAR

Planea momentos regulares de ejercicio para toda la semana y elegid por turnos qué actividad familiar adoptaréis cada semana: excursiones, nadar, ciclismo, **juegos**, etc. Al principio, puede parecer difícil encontrar tiempo para mantener en forma a la familia, pero pronto el viaje del sábado por la mañana a la piscina o un paseo el martes por la tarde parecerán algo secundario. Según los expertos, cuando el ejercicio se vuelve un hábito, empezarás a cosechar los beneficios.

HAZ UNA EXCURSIÓN

Junta a toda la familia para dar un paseo por el **parque local**, el bosque o la reserva del lugar. Llévate una buena merienda como recompensa para la mitad del camino.

★ PISTA **Una hermana, prima u otro miembro de la familia puede ser el entrenador personal ideal. No sólo compartirás tu tiempo con alguien que te importa, sino que también sabrá darte un empujón justo cuando lo necesites.**

DIRÍGETE AL **PARQUE**

Juega con un *frisbee* mientras te mueves con el **vigor** suficiente para que el corazón te lata más deprisa: será una buena sesión de ejercicio.

ADELANTE, AL AGUA

Busca una piscina que tenga una máquina de olas y toboganes. Los niños querrán pasar más rato en el agua si se lo pasan bien, y tú y tu compañero podréis hacer unos cuantos largos más.

CONVIÉRTETE EN **PATINADORA**

Lleva a los niños a patinar sobre hielo o sobre ruedas; es igual de **divertido** para los adultos y tonifica zonas difíciles de alcanzar (las nalgas y la cara exterior de los muslos, por ejemplo).

★ PISTA ¿Nunca has patinado? Apúntate a un par de clases con un monitor experto para aprender lo básico.

MONTA EN **TU BICICLETA**

Montad en bicicleta. Si tus niños están aprendiendo, corre a su lado cuando vayan pedaleando.

Cómo encajar el ejercicio

Si tus hijos son muy pequeños para hacer ejercicio contigo, aprovecha los ratos que pasen a cargo de amigos o de sus abuelos para hacer ejercicio. Y si no quieres hacerlo sola, lo ideal es quedar con otras madres para salir a correr o ir a una clase de yoga mientras los niños están en una ludoteca.

DEPORTE EN VACACIONES

CÓMO USAR LAS VACACIONES PARA PONERSE EN FORMA Y (AUN ASÍ) PASÁRSELO BIEN

La mera idea de hacer ejercicio en vacaciones puede dejarte tan fría como el hielo de tu daiquiri de fresa, pero volver de ellas con tu bronceado y 2,5 kg de más probablemente sea lo último que te apetecería. La clave para evitar esta situación es dar con modos de ejercitarse que requieran tan **poco esfuerzo** que no parezcan ejercicio, actividades tan divertidas que ni siquiera te enteres de que estás "ejercitándote". Las buenas noticias son que sólo con nadar en el mar y participar en algunos juegos de playa quemarás más calorías que en casa.

CAMINAR **DEPRISA**

Si paseas deprisa por la playa al salir o ponerse el sol, o caminas rápido durante las excursiones, tonificarás tus piernas y trasero, así que podrás disfrutar de un helado sin sentirte culpable.

Calorías quemadas en 60 min: 350

NATACIÓN

Por tentador que sea pasarse el día en la tumbona tomando cócteles, saltar a la piscina o al mar, y hacer unos largos aunque sea sólo un rato, es una gran manera de tonificar brazos y piernas a la vez.

Calorías quemadas en 60 min: 400

DEPORTES **ACUÁTICOS**

Si te sientes más aventurera prueba el esquí acuático o el ***windsurf***. Serán un ejercicio asombroso para tus brazos. No te asustes si te cuesta levantarte al principio: levantarse y ponerse en posición quema muchas calorías.

Calorías quemadas en 60 min: 300

JUEGOS DE PLAYA

El mero hecho de jugar con un *frisbee* o una pelota en compañía en una playa será un ejercicio espléndido para la parte alta de tus brazos y tus hombros.

Calorías quemadas en 60 min: 200

VOLEIBOL

¡Es un juego muy divertido! Aunque requiere mucha energía, es muy competitivo, por lo que no te quedará tiempo para sentirte cansada. Además, las carreras y los **saltos** dan firmeza a la parte baja del cuerpo.

Calorías quemadas en 60 min: 350

MONTAR **A CABALLO**

Empieza el día con una emocionante cabalgada por la playa y quemarás bastantes calorías como para permitirte un "señor desayuno".

Calorías quemadas en 60 min: 270

CINCO EJERCICIOS A HURTADILLAS QUE PUEDES HACER DONDE SEA

Si todo esto te parece algo cansado, prueba estos ejercicios durante el día para conservar el tono. No lleva nada de tiempo y, mejor aun, ¡ni siquiera tienes que dejar de tomar el sol!

Tensar la tripa: ayuda a aplanar las barriguitas

Túmbate boca abajo con la cabeza sobre el dorso de las manos, incluso mientras holgazaneas sobre tu toalla. Suave pero firmemente tensa los **músculos abdominales**, levantando y separando el estómago del suelo. Mantén las nalgas sueltas, la zona lumbar recta y el resto del cuerpo inmóvil. Mantén los músculos del estómago tensos todo el tiempo que puedas, respirando con normalidad. Repetir 20 veces.

Alzatraseros: levanta y tensa el trasero caído

Es fácil de hacer mientras esperas en el bar. Empieza por erguirte bien con los músculos de la tripa tensos. Luego, inspirando, tensar con toda la firmeza posible los músculos del trasero y el suelo pélvico y aguantar así contando hasta 20. **Respira normalmente** de principio a fin, pero mantén los músculos firmemente apretados. Luego espira y afloja lentamente los músculos. Repetir 20 veces.

Modelador de los brazos: para tensar los músculos fláccidos de los brazos

Un ejercicio para cuando te levantes por una copa. Yérguete con los pies separados algo más de la anchura de los hombros, y las rodillas ligeramente dobladas. Levanta lateralmente los brazos, paralelos al suelo y con las palmas hacia delante. **Rota las manos** y los brazos, de modo que las palmas queden hacia atrás, manteniendo los hombros bajos. Estira los brazos hacia atrás al máximo. Debes sentir cómo se te estiran los bíceps y los músculos del pecho.

Estilizar la cintura: tumbada en la playa

Este ejercicio sirve para reducir cintura y caderas y así lograr una mayor definición. Túmbate de espaldas con los pies planos sobre el suelo, las rodillas dobladas y los abdominales bien tensos. Ponte las manos sobre las orejas y, espirando, levanta lentamente la cabeza y los hombros, cuenta hasta tres y lleva el hombro izquierdo hacia la rodilla derecha. **Permanece firme** en esta posición, manteniendo el mentón levantado en vez de hundido en el pecho. Inspira y vuelve a la posición de partida contando hasta tres. Repetir 20 veces por cada lado.

Tensor para los muslos: estiliza el exterior de tus muslos, que parecerán más delgados en bikini

Un ejercicio fácil para hacerlo en el solarium. Túmbate sobre el costado derecho con las piernas extendidas y rectas, luego estira el brazo derecho sobre la cabeza hasta apoyar ésta en el brazo derecho. Dobla el brazo izquierdo y pon la palma en la tumbona, delante del pecho. Luego levanta la pierna izquierda unos centímetros y **apunta con los dedos de los pies** hacia el cielo, girando la pierna desde la cadera. Levanta la pierna derecha hacia la pierna izquierda hasta que se toquen los talones, cuenta hasta tres y baja las piernas. Repetir 20 veces con cada pierna ¡o cada vez que cambies de lado!

Cómo no echarlo todo a perder al volver a casa

- ★ Si nadaste todas las mañanas en las vacaciones, búscate una piscina local donde hacer lo mismo.
- ★ Continúa bebiendo abundante agua mineral. No sólo te mantendrá hidratada sino que, ya que a menudo el cuerpo confunde al hambre con la sed, evitará que comas de más.
- ★ Si el mayor calor de las vacaciones te hacía comer raciones menores durante todo el día, intenta conservar el tamaño de esas raciones al regresar a climas más fríos.
- ★ Si hiciste tus visitas a pie, probablemente hicieras bastante ejercicio extra. Aplica este principio a tu vida diaria y abandona el coche por un paseo siempre que puedas.
- ★ Si te divirtió aprender algún deporte nuevo, como el buceo, el esquí acuático o el voleibol, conviértelo en tu nuevo hobby y busca el club más cercano en cuanto vuelvas a casa, para poder seguir practicándolo.

QUEMA EL **DOBLE DE GRASA** EN LA **MITAD** DE TIEMPO: A INTERVALOS

Si te cuesta disponer de tiempo para el gimnasio, prueba con sesiones abreviadas. Es posible dedicar la mitad de tiempo al trabajo, **quemar la misma grasa** y tonificar igual el cuerpo. La clave es aumentar la intensidad del ejercicio para compensar el menor tiempo dedicado, un método que tiene el poder de poner en forma tu cuerpo flácido en nada de tiempo.

¿**QUÉ ES** A INTERVALOS?

El ejercicio a intervalos es un método en que se alternan breves picos de ejercicio en los que te esfuerzas al máximo, con períodos más lentos y suaves, que le dan a tu cuerpo la ocasión de reponerse y recuperar el aliento.

Además de aumentar el número de calorías quemadas en el ejercicio, este modo de hacerlo te ayudará también a **quemar más calorías** durante el resto del día. De hecho, los estudios demuestran que tu metabolismo seguirá acelerado hasta 15 horas tras este tipo de ejercicio, frente a sólo 3 horas tras un ejercicio normal.

El que ejercitarte así convierta al cuerpo en una "máquina de quemar grasa" más eficiente significa que se está convirtiendo en un método muy popular.

LA **PARTE CIENTÍFICA:** CÓMO FUNCIONA

EL cuerpo quema diferentes tipos de combustible con diferentes tipos de ejercicio. Durante una sesión continuada se quema más grasa, pero en cuanto se deja de ejercitar el cuerpo éste vuelve a quemar glucosa (azúcar). Cuando te entrenas a intervalos, por contra, **el esfuerzo es más intenso**, es decir, usas las reservas de glucosa más deprisa, obligando al cuerpo a usar las reservas de grasa para obtener energía el resto del día. Como el cuerpo no puede reponer la glucosa por sí mismo, quemas grasa durante más tiempo después de acabar la sesión.

¿**CÓMO** PUEDO HACERLO?

Puedes entrenarte a intervalos con cualquier tipo de ejercicio, desde nadar y correr, a subir las escaleras. Sólo tienes que mezclar explosiones de alta intensidad con períodos más lentos de recuperación.

Cinco modos de usar el sistema de intervalos para reducir su duración

1. **Intercambia una carrera de 40 minutos por 20 minutos de entrenamiento en circuito subiendo y bajando de ritmo de principio a fin.**
2. **Intercambia un paseo de 60 minutos por 30 minutos de cinta en subida y en bajada.**
3. **Intercambia 40 minutos de braza por 20 minutos de *crawl* o espalda, más rápidos (alternando entre largos rápidos y lentos).**
4. **Intercambia un recorrido de 10 km en terreno llano por uno de 5 km por las colinas.**
5. **Intercambia dos sesiones de pesas durante la comida de 40 minutos por 10 minutos cada mañana usando pesas más pesadas.**

"NO ES LO QUE HACES, ES CÓMO LO HACES"

¿Estás atascada con la misma sesión de ejercicios que ya no parece servirte de ayuda? Quizá hayas descubierto que algunos movimientos te dejan el cuello dolorido o con problemas de rodilla. Es muy fácil seguir adelante pasando por alto el hecho de que le estamos haciendo daño a nuestro cuerpo, aunque creamos que hacemos lo contrario.

Hay errores comunes que todo el mundo tiende a cometer en el gimnasio, errores que desperdician tiempo, hacen menos eficaz el ejercicio o pueden **lesionarnos**. He aquí formas sencillas para corregirlos y garantizar un resultado óptimo de nuestro tiempo de ejercicio.

SALTARSE EL CALENTAMIENTO

Hasta cuando lleves prisa y no tengas mucho tiempo para el ejercicio, no cometas el error de no calentarte antes. Es una **parte esencial** de cualquier sesión: aumenta poco a poco el ritmo cardíaco para que la sangre fluya y se dirija hacia los músculos, haciéndolos más flexibles y menos propensos a las lesiones.

El calentamiento puede durar sólo cinco minutos. Correr suavemente sobre el terreno y unos cuantos estiramientos pueden bastar, pero asegúrate de **trabajar los grandes músculos** del cuerpo -incluyendo las pantorrillas, las partes delantera y trasera de los muslos, la zona lumbar y los glúteos-, ya que esto enviará más líquido a las articulaciones para que se muevan más suave y fácilmente.

NO BUSCAR CONSEJO **EXPERTO**

Si te apuntas a un gimnasio, es vital que pases un **cursillo de iniciación** adecuado. Uno de los monitores debe enseñarte las máquinas, explicándote para qué son y cómo usarlas. Y no temas hacer preguntas si no entiendes algo. No obtener la ayuda de un experto puede hacerte perder un montón de tiempo o, mucho peor, que te lesiones. Consulta también a tu médico antes de iniciar un programa de ejercicios si estás embarazada o tienes alguna lesión.

EXCEDERSE

Esforzarse demasiado lleva a quemarse y lesionarse. También hará que la idea de hacer ejercicio resulte tan poco agradable que buscarás cualquier excusa para no hacerlo. Esto hará casi imposible establecer una rutina regular a largo plazo, así que olvídate de la teoría de **"si no duele, no vale"**. El ejercicio no tiene por qué ser sufrimiento.

NO APORTAR BASTANTE **EMPUJE**

No llegar a sudar siguiera, por otra parte, tampoco sirve de mucho. Si quieres ponerte en forma, el ejercicio debe ser un desafío, pero sin grandes excesos: ejercitarte con una intensidad que te permita **mantener una conversación** con la persona de al lado es suficiente para obtener grandes resultados.

COMER LO EQUIVOCADO ANTES

Hay gente que no come antes de hacer ejercicio porque cree que es malo para la salud y produce indigestión. De hecho, una comida ligera puede mejorar tu rendimiento y muchos **atletas de primera línea** logran mejores resultados si han comido algo antes, o incluso durante el ejercicio. Piensa en todos esos tenistas que se comen un plátano a mitad del partido, por ejemplo.

Una comida ligera restaura y mantiene los niveles de azúcar en la sangre, **evitando la fatiga** y manteniendo constantes los niveles de energía. Lo mejor son las comidas que contengan hidratos de carbono, aporten energía accesible y sean fáciles de digerir: una barrita de cereales, un bocadillo, un plátano o frutos secos 30 minutos antes de la sesión aportarán un plus de energía.

NO BEBER SUFICIENTE **AGUA**

Un estudio reciente desveló que la gente deshidratada tiende a ejercitarse durante períodos significativamente menores que la que bebe agua abundante (antes y durante la sesión). Aunque la mayoría de la gente sabe que mantener los niveles de hidratación durante el ejercicio es importante, no es tan sabido que la cantidad de agua que bebes tiene un enorme efecto, tanto en la calidad como en la cantidad del ejercicio. Hasta un caso leve de deshidratación por ejercicio puede reducir tu **capacidad aeróbica**.

Al mismo tiempo, ten presente que excederse con el agua también puede ser malo, en especial si corres largas distancias.

★ PISTA Para calcular tu prescripción diaria personal de agua, divide tu peso en libras (1 kg=2,2 libras) por dos: el resultado es el número de ml de agua que necesitas al día.

NO **CAMBIAR** TU RUTINA

Quedarse atascado en un método de ejercicios es malo por dos cosas. Primero, repetir la misma sesión semana tras semana se irá haciendo más fácil, por lo que dejará de ser un **desafío para tu cuerpo,** con lo que los resultados irán "empeorando", también. El otro problema es que no tardarás en aburrirte, y tenderás a saltarse las sesiones de ejercicios o las abandonarás del todo. Evítalo alternando distintos tipos de ejercicio. En vez de hacer tres sesiones en el gimnasio a la semana, divídelas: incorpora 40 minutos en la piscina en sustitución de una de ellas o, si un día sales a correr, prueba una clase de yoga la vez siguiente.

SIN **DESCANSO**

Para algunos, los días libres son tiempo perdido. Sin embargo, desempeñan un papel crucial en tu bienestar general. El descanso permite que tu cuerpo se recupere, y tomarse un **día libre** entre las diferentes sesiones significa que tus fibras musculares tendrán tiempo para curarse y regenerarse. Esto da a tu cuerpo la capacidad de funcionar bien, haciendo posible que alcances tus objetivos sin riesgos.

MALA TÉCNICA

Si no obtienes resultados, o un ejercicio te resulta muy incómodo, es probable que lo estés haciendo mal; por ello, consulta a un **monitor** en tu gimnasio o cómprate un libro o un vídeo que explique visualmente cómo hay que hacerlo. Por ejemplo, mucha gente tira de su cabeza y cuello al hacer abdominales. No es el modo de obtener ese estómago plano que tanto deseas, y puedes hacerte daño en el cuello. En vez de hacerlo así, apoya la punta de los dedos justo detrás de las orejas como apoyo ligero (sin la tentación de tirar).

MALA **POSTURA**

Si, como mucha gente, te pasas el día ante un ordenador, es muy probable que estés acostumbrada a tener los hombros inclinados hacia delante y tu espina dorsal estará redondeada porque la mayoría de tus músculos posturales se han vuelto perezosos. Si no tomas la decisión consciente de corregirla, ésta es la postura con la que harás tus ejercicios, que también tendrán **efectos negativos**. El modo más fácil de corregir una mala postura es comprobar rápidamente ésta antes de empezar el ejercicio. Yérguete con los pies separados el ancho de tus caderas y el peso distribuido por igual. Imagina que tu pulgar está siendo atraído hacia tu espina dorsal y **mantiene el pecho levantado**, los hombros bajos y la espalda recta, inspirando y espirando profunda y regularmente.

NUEVOS MÉTODOS MOLONES PARA ESTAR EN FORMA

Si la novedad de hacer ejercicio se disipa bastante deprisa, es vital sentirse física y mentalmente **provocada**. Uno de los mejores modos de lograrlo es bombardearse con nuevos tipos de ejercicio. Hay hay tanta oferta de formas divertidas, sexys o espirituales de hacer ejercicio que el aburrimiento ha dejado de ser una excusa viable.

He aquí una rápida gira por algunas de las formas más modernas y curiosas de ponerse en forma:

COMBATE SIN PAREJA (*BODY COMBAT*)

Tiene sus raíces en las artes marciales y mezcla movimientos y posiciones de toda una gama de disciplinas de autodefensa en una rutina para **bombear la adrenalina**. Es como aeróbic, pero con un punto de artes marciales. Se aprenden técnicas para dar patadas y puñetazos, que luego pueden practicarse en secuencia con música. También implica gritar mucho, luego es bueno para el estrés. Es estupendo para dar tono a las piernas y porque al trabajar el corazón y los pulmones, quemarás muchas calorías.

Calorías quemadas en una clase de 60 min: 400

BOXEO TAILANDÉS

Es para los puristas de las artes marciales. Es una clase de boxeo para ejercitar y disciplinar la mente y el cuerpo. La combinación de movimientos de brazos y piernas **tonificará tus extremidades**. Quemarás muchas calorías y tu forma física mejorará por lo enérgico del ejercicio. Además, tu postura, coordinación y flexibilidad mejorarán.

Calorías quemadas en una clase de 60 min: 450

BALLET

Olvida los días del tutú de tu infancia, porque el baile se está convirtiendo cada vez más en uno de los modos más punteros de ponerse en forma gracias, en buena medida, a celebridades como Sarah Jessica Parker. Y la verdad, no es de extrañar, porque practicar con regularidad ballet te da una **postura fantástica** y unos músculos largos y enjutos. La mezcla de estiramientos, extensiones y ejercicios en la barra y en el suelo hace trabajar hasta el último músculo del cuerpo. Es lo más en tonificación general.

Calorías quemadas en una clase de 60 min: 300

AQUA JOGGING

Correr es una de las actividades mejores para quemar calorías, pero los golpes contra el pavimento pueden ser fatales para tus articulaciones, en especial si ya tienes una lesión de rodilla o tobillo. Y puedes acabar con "mandíbula de jogger", en la que los músculos faciales empiezan a descolgarse. Practicar el *jogging* bajo el agua puede ser la respuesta. Reduces a la mitad la carga sobre las articulaciones, pero el ejercicio sigue siendo eficaz. Y es perfecto para reafirmar áreas difíciles como los muslos, el trasero y la tripa.

Tienes que meterte en el agua hasta la cintura y correr lentamente sobre el terreno, usando los brazos como lo haces normalmente al correr, y aumentando el ritmo según vayas acostumbrándote a la **resistencia** del agua. Usar pesas o un cinturón con plomos optimiza los resultados.

Calorías quemadas en una clase de 60 min: 600

SALSA

Este baile latino de caderas es cada vez más frecuente como clase de *fitness* en los gimnasios. La salsa no es sólo muy sexy, también es buena para la autoestima y te enseña como **moverte al son de la música**. Como ejercicio es bueno para tonificar las pantorrillas, muslos, nalgas y vientre. Se trata de aprender los ocho pasos básicos, y luego combinarlos con giros y vueltas que se practican con la pareja.

Calorías quemadas en una clase de 60 min: 350-400

HABILIDADES CIRCENSES

Lo último en ejercicios **de vanguardia** es una clase que llega hasta las destrezas de la gran carpa, como el funambulismo, los zancos o el trapecio. ¡Hasta puedes aprender a montar en el triciclo del *clown*! La clave está en la **diversión**: mejora el equilibrio, la velocidad, la coordinación y la agilidad, y acabarás con abdominales, bíceps, tríceps y piernas tonificadas.

Calorías quemadas en una clase de 60 min: unas 300

★ PISTA ¿Aburrida de las clases del gimnasio? Busca en los anuncios del periódico local: puede ser una gran fuente de actividades inusuales y excitantes.

CLASES DE **TRIPULACIÓN**

Es básicamente una clase de remo en grupo pensada para evitar el aburrimiento de las máquinas de remar, igual que las clases de *spinning* le han dado nueva vida a la vieja bicicleta estática. El "remo virtual", a diversas velocidades e intensidades, produce un gran **ejercitamiento cardiovascular**. Tus brazos quedarán ultratonificados, y los músculos de tus piernas largos y enjutos. Quizá te guste alternar el remo con la carrera sobre cinta, que pone un énfasis similar en el grupo y se ofrece también en algunos gimnasios.

Calorías quemadas en una clase de 60 min: 400

DANZA DEL VIENTRE

Este estilo de danza erótica de Oriente Medio lleva miles de años entre nosotros, aunque como ejercicio se ha descubierto recientemente. Pero se ha **puesto de moda**, y hoy puede practicarse en muchos gimnasios. Las fluidas oscilaciones de las caderas de la danza del vientre usan grupos musculares del abdomen, la pelvis, la espina dorsal y el cuello. Durante el baile, las articulaciones y ligamentos realizan movimientos suaves y repetitivos. Si éstos se realizan correctamente, la pelvis se saca hacia delante, lo que será de ayuda contra los problemas de la zona lumbar. También se ejercitan los brazos y los hombros, que se mantienen a tono y esbeltos.

Calorías quemadas en una clase de 60 min: 390

FICHAS DE DATOS SOBRE LOS EJERCICIOS

Puede resultar difícil decidir qué forma de ejercicio es la mejor para ti, pero estos **resúmenes** de algunos de los modos más populares de ponerse en forma pueden servirte de ayuda. Cuando hayas sopesado los pros y los contras de cada uno de ellos y hayas decidido en qué se beneficiará tu cuerpo, reduce la lista a los que sirvan a tal fin y a los objetivos de ejercicio que sean prioritarios para ti, y escoge el que sea más adecuado para ti y para tu estilo de vida.

CORRER

¿Qué es eso?

Hay muchísima gente pateándose el pavimento a la hora de comer o tras el trabajo, y viéndola se diría que es fácil. Mucha gente que intenta correr, sin embargo, sólo acaba jadeando y con ampollas a cambio de sus esfuerzos. Aun siendo difícil, correr ofrece **importantes beneficios**.

¿Para qué sirve?

Correr es un de los ejercicios tónicos cardiovasculares más importantes. Te pondrás en forma en muy poco tiempo con sólo correr 30 minutos al día, cuatro días a la semana. Es un modo fantástico de **perder peso**. De hecho, pocas actividades queman calorías tan deprisa. Piensa en la esbeltez de los corredores de fondo. Es también un método muy flexible para ponerse en forma. Puedes correr a tu ritmo, con o sin compañía y a la hora que quieras.

¿Por dónde empiezo?

Empezar un programa de carrera y atenerse a él no tiene por qué ser difícil. Es cuestión de ir avanzando despacio y de tomarse tiempo para calentarse antes y enfriarse después de una carrera para **evitar lesiones**. A pesar de su elevado precio, unas zapatillas para correr son obligatorias si quieres ahorrarte escayolas, ampollas y músculos doloridos. Por lo demás, aparte de ropa cómoda, hace falta poco más.

Calorías quemadas en 30 min: 450

Pistas para tener un estilo seguro

1 **Mantén la cabeza recta, no botes e inclínate hacia delante desde los tobillos, no desde la cintura.**
2 **Mantener los hombros bajos y relajados.**
3 **Toca el suelo primero con el talón y luego rueda hasta la punta del pie, dando impulso al cuerpo desde los dedos de éste.**

CAMINAR

¿Qué es eso?

Una gran forma de ejercicio, y una de las más sencillas. No hay que ir al gimnasio, ni que sumarse a una clase, comprarse ropa o equipo especiales, y puede practicarse en cualquier parte.

¿Para qué sirve?

Además de para estar en forma, un buen paseo diario puede ser más eficaz que las drogas para las **depresiones** leves a moderadas. Según un informe de 2001 del *British Journal Sports Medicine*, 30 minutos al día bastan para mejorar significativamente el estado de ánimo.

¿Por dónde empiezo?

Sólo necesitas un buen par de zapatos para caminar. Empieza poco a poco para ahorrarte rigideces y dolores musculares y articulares. Es buena idea partir de un programa de 15 minutos. Concibe tu paseo en tres partes. Camina despacio 5 minutos. **Acelera el paso** los siguientes 5 minutos. Luego, para enfriar, camina lentamente durante 5 minutos. Al cabo de unas semanas puedes empezar a caminar más deprisa, ir más lejos, y durante períodos más largos.

Intenta pasear al menos tres veces a la semana, añadiendo de dos a tres minutos por semana a la parte rápida del paseo. Si paseas menos de tres veces a la semana, aumenta el período de paso rápido más despacio.

Calorías quemadas en 30 min: 180

YOGA

¿Qué **es**?

Una práctica de 5 000 años de antigüedad que combina una serie de posiciones de flexión/estiramiento con técnicas de respiración. También requiere el aprendizaje de técnicas de **meditación** para explorar tu lado espiritual.

¿Para qué **sirve**?

El yoga no sólo aumenta la flexibilidad, la fuerza y el tono muscular, también es estupendo para relajarse y hacer frente al estrés.

Investigaciones sobre los niveles de cortisol (hormona del estrés) han revelado que el yoga puede ayudar a controlar el dolor, aliviando el estrés y la ansiedad. También es capaz de **reducir el ritmo cardíaco** y ralentizar la respiración. Para ser eficaz, requiere entrenamiento y práctica habituales. Hay instructores cualificados en gimnasios y escuelas de yoga, o puedes aprenderlo con libros y vídeos.

¿Por dónde empiezo?

Cuando decides buscar un libro o una clase de yoga, te quedas atónita por la enorme variedad de estilos que hay. El hatha-yoga es perfecto para los principiantes, porque está pensado para que sea **suave** y es apropiado para todas las edades y estados físicos. Cuando le cojas el punto a este estilo, quizá quieras **progresar** a algo como el Ashtanga, también llamado "Power yoga". El Ashtanga yoga es rápido y fluido, por lo que es un ejercicio aeróbico además de tonificante. ¡Pero ten cuidado y no te excedas!

Para evitar lesiones al practicar el yoga, tienes que sabes en dónde está tu "límite". El límite es el punto en el que una tensión menor no sería un desafío, pero una mayor tensión sería dolorosa. Puedes bordear el límite, pero no lo traspases.

Calorías quemadas en 30 min: 100

NATACIÓN

¿Qué es?

Sin duda uno de los mejores ejercicios: proporciona fuerza, resistencia y movilidad, con el resultado de una buena forma general.

¿Para qué sirve?

Nadar con regularidad mejorará tu forma cardiovascular, tu fuerza muscular y tu **flexibilidad**, además de ayudarte a quemar grasas. La resistencia del agua es perfecta para obtener el tipo de músculos firmes, tónicos, que de otro modo sólo se obtienen entrenando con pesas. Uno de los mejores modos para aumentar la resistencia al agua es ahuecar las manos y empujarla o tirar de ella.

¿Por dónde empiezo?

Si has decidido tirarte a la piscina, se trata de encontrar una clase que cubra tus necesidades. Consulta en tu **centro deportivo local** o gimnasio. Una buena sesión debe incluir el calentamiento, un período de ejercicio cardiovascular (de intensidad primero creciente y después decreciente), y el enfriamiento. Intenta variar las brazadas para asegurarte de que trabajen todos los grupos musculares.

Calorías quemadas en 30 min: 200 a braza, casi 300 a estilo libre (*crawl*).

PILATES

¿Qué **es?**

Pilates, así llamado por su fundador Joseph Pilates, es un programa de puesta a punto que trabaja el cuerpo desde dentro, centrándose en los músculos "del núcleo" (los del estómago y la espalda). Es un ejercicio **mente-cuerpo** que, como el yoga, hace hincapié en la importancia de una respiración correcta al realizar movimientos corporales muy precisos. AL contrario que el yoga, el Pilates se centra en el ejercicio; el yoga es esencialmente una práctica espiritual, uno de cuyos beneficios es el bienestar físico.

¿Para qué **sirve?**

Si quieres trabajarte a fondo el cuerpo, ejercitando músculos que ni conocías, éste es para ti. Es especialmente bueno para **mejorar tus posturas habituales**, ya que fortalece la zona lumbar y el abdomen. Además obtendrás el estómago plano "marca de fábrica" de Pilates y músculos más largos y esbeltos en todo el cuerpo.

¿Por dónde empiezo?

El Pilates se practica con un equipamiento especial, una colchoneta o ambas cosas. La clase sobre colchoneta suele ser **en grupo**, mientras que las clases con equipo tienden más a ser particulares. Consulta en el gimnasio más cercano para saber más. Mucha gente se frustra y abandona el Pilates tras unas pocas clases porque puede ser difícil hacerse con los movimientos iniciales sin una buena enseñanza. No te apuntes a una clase de más de 15 personas, o quizá no recibas la atención necesaria por parte del instructor.

Calorías quemadas en 30 min: 100

CICLISMO

¿Qué es?

Si no te gusta el ejercicio en interiores, el ciclismo es un modo estupendo de trabajar. Hacer recados o tomar el aire sin más montada en bicicleta con amigos o la familia puede convertir el tan temido ejercicio en una hora placentera.

¿Para qué sirve?

El ciclismo no sólo es divertido, es también un ejercicio duro que tonifica las piernas, el trasero y los abdominales. Practícalo siempre con casco, ya que te permite también recorrer largas distancias. La mayoría de los parques tienen carriles-bici marcados para que puedas recorrerlos sin miedo a chocar.

¿Por dónde empiezo?

Necesitas una buena bicicleta, *shorts* almohadillados para evitar traseros escocidos y, fundamental, un buen casco. Si pedaleas **para ponerte en forma**, lo primero es ir aumentando tu resistencia. Ve un poco más lejos cada vez, hasta que seas capaz de pedalear 30 minutos sin parar; luego, añade unas pendientes y aumenta la velocidad.

Cuando el clima empeora en invierno, quizá valga la pena invertir en una bicicleta estática o usar una en el gimnasio local si el ciclismo es tu modo principal de mantenerte en forma. Así, no te saltarás muchas sesiones por culpa del traicionero tiempo.

Calorías quemadas en 30 min: 309

TENIS

¿Qué es?

Jugar al tenis es un modo clásico de pasar una tarde de verano, y también un excelente ejercicio que pone a prueba todo tu cuerpo.

¿Para qué sirve?

Sólo moverse por la cancha implica grandes carreras, por lo que el tenis es un buen ejercicio cardiovascular. También es bueno para mejorar la **postura**, y es un gran tonificador de los brazos, los muslos y el trasero. Trabajar la coordinación mano-ojo y aumentar la fuerza muscular te ayudará a restar las devoluciones potentes.

¿Por dónde empiezo?

Si eres principiante absoluta, es buena idea que tomes **lecciones de tenis** con un profesional para ganar confianza y mejorar tu juego. Cuando le cojas el "tranquillo", puedes buscarte a una amiga como pareja para jugar o apuntarte a un club.

Calorías quemadas en 30 min: 450

★ PISTA No veas el tenis como una actividad estival; usa las pistas cubiertas para disfrutar del juego durante todo el año.

CAPÍTULO 2 DIETA

ADELGAZAR SIN ESTRÉS

Cómo comer sano y hacer de los "dilemas dietéticos" algo del pasado, sea cual sea tu estilo de vida.

Perder peso y llevar una dieta **sana** ocupa los primeros lugares de la lista de deseos de cualquier chica, pero atenerse a tan buenas intenciones día a día no es tarea fácil, y menos si intentas conjugar la comida sana con un **estilo de vida ocupado**. Comer a la carrera, las comidas de negocios y salidas con **amigos** hacen que llevar dieta sea un auténtico dilema.

Uno de los mayores problemas de hacer dieta son las expectativas poco realistas -en otras palabras, intentar **cambiar** toda tu dieta de golpe y perder peso-. Incluso con una **voluntad** de hierro, se sabe que el acto mismo de **privarte** de ciertos alimentos desencadena una respuesta biológica **natural**: el deseo de "atracarse". Según los nutricionistas, el ciclo privación-exceso es **fisiológico** y **psicológico**: cuando te rindes a lo que tu cuerpo anhela, te excedes.

El mejor modo de empezar es ir haciendo **cambios poco a poco**; por ejemplo, intenta comer chocolate sólo cada dos días en vez de diariamente. Este método mejorará tu **autoestima** a la larga, ya que es probable que te adhieras a **objetivos razonables** y no te rindas tan fácilmente. Y recuerda: en cuanto empieces a comer más sano, descubrirás que **estás más guapa**, te sentirás mejor y tendrás mucha más energía.

PONTE OBJETIVOS REALISTAS

Si quieres hacer dieta, decide cuánto peso debes perder y trabaja para perderlo con realismo. Idealmente, deberías intentar perder alrededor de 1 kg a la semana. Aunque esto no parezca gran cosa, es más probable lograr una pérdida de peso permanente si se adelgaza despacio. La gente que pierde peso con rapidez con una dieta feroz tiende a recuperarlo de inmediato, cuando vuelven a sus hábitos alimentarios normales. El mejor modo de no recuperar peso a largo plazo es cambiar de hábitos.

DATE UNA RECOMPENSA

Si eres estricta a la hora de contar calorías, es importante darse una recompensa todas las semanas. Te ayudará a fortalecer tu resolución de seguir con la dieta. Las limpiezas faciales o las manicuras son un buen modo de recompensarte porque te **sientes bien** contigo misma. Si no puedes permitirte ponerte en manos de profesionales, invita a unas amigas a una **"fiesta de acicalamiento"** (que lleven aceites para masajes y esmalte para las uñas y celebradlo juntas).

NO SEAS MUY SEVERA CONTIGO MISMA

Si comes demasiadas galletas de chocolate un día o no alcanzas tu objetivo de 1 kg por semana, no te tortures. Todo el mundo tiene días en los que come demasiada comida malsana. Limítate a decidir centrarte en la comida sana al día siguiente. Y si no pierdes peso, persevera; lleva mucho tiempo quemar la grasa y lo lograrás al final.

NO TE SALTES COMIDAS

La clave para resistir la tentación diaria de la comida malsana y hacer dieta es aplacar el hambre. Cuanta más hambre sientas, más anhelarás la comida y más se debilitará tu voluntad. Aquí el truco es llenarse de comida rica en fibra y beber mucha agua. El té de hierbas también da un resultado excelente y es una buena alternativa a la leche que tomas con el desayuno, que está repleta de grasa y calorías.

★ **PISTA** **Mantén en marcha el metabolismo entre comidas: mordisquea almendras sin sal, frutas secas y cosas así.**

SEIS MODOS DE PONER EN MARCHA UN PLAN DE COMIDAS SANO

1

No te saltes el desayuno: sentirás hambre más adelante, y hacerlo ralentiza el metabolismo.

2

Come aperitivos. Intenta no pasar más de cinco horas sin comer. Esperar demasiado puede agotar tu energía y llevarte luego a excesos.

3

Rehuye de las bebidas carbonatadas; la mayoría están llenas de calorías y aditivos ocultos.

4

Intenta comer cinco raciones de fruta y verdura al día.

5

Compra fruta y verdura cortada de antemano, ahorrará tiempo preparándolas, y es fácil improvisar cuando tienes prisa.

6

Lleva aperitivos sanos al trabajo. La fruta, los frutos secos y el yogur te ayudarán a superar la tentación de pasarte por la máquina todas las tardes.

Lleva un diario de comidas

Tomar notas de todo lo que comes –y medir las cantidades– es un buen modo de familiarizarte con tus hábitos alimentarios. Los estudios muestran que la mayoría de la gente subestima mucho lo que come, así que verlo escrito sobre el papel puede ser muy revelador. Medir la comida te permite acostumbrarte a evaluar las raciones apropiadas y, así, mantenerlas bajo control. Toma nota también de tus sensaciones en el diario, ya que esto puede ayudarte a identificar desencadenantes alimentarios: por ejemplo, quizá te apetezca chocolate cada vez que tienes un día estresante. Si eres consciente de ello, puedes anticiparte y tener aperitivos sanos a mano cuando sepas que vas a tener un día complicado.

QUÉ NO COMER

La comida aporta calorías que el cuerpo convierte en la energía que consume la actividad física. O sea, si comemos más calorías de las que **quemamos** con la actividad física, engordamos. La grasa es una fuente concentrada de energía y 1 g aporta 9 calorías (más del doble que las que aportan las proteínas o los hidratos de carbono). Como la grasa, el azúcar es una **fuente densa de energía**. Se convierte fácilmente en glucosa y puede causar un ascenso rápido en el **nivel de azúcar** en sangre, un subidón de energía y mejora el ánimo. Pero si el nivel sube mucho, el cuerpo reacciona segregando insulina para eliminar el exceso, lo que puede producir un bajón y hambre.

LA REALIDAD DE LA GRASA

La grasa es una parte esencial de nuestra dieta, pero en el mundo Occidental la mayoría de la gente come mucha más grasa de la que su cuerpo necesita. Comer demasiada grasa no sólo te hará engordar, sino que aumentará el riesgo de padecer enfermedades cardíacas, diabetes y ciertos cánceres. Por otra parte, eliminar la grasa por completo de la dieta es también peligroso y puede producir problemas de salud. La grasa es un nutriente esencial portador de vitaminas A, D, E y K, y ayuda a mantener la piel sana. **Aísla el cuerpo** del frío y acolcha los órganos. Algunas grasas ayudan a fabricar importantes hormonas que conservan la temperatura de nuestro cuerpo y regulan la tensión sanguínea. No todas las grasas son iguales, lo malo es comer demasiadas grasas malsanas.

EL QUIEN ES QUIEN DE LAS GRASAS

Las grasas saturadas se encuentran, sobre todo, en la carne roja y los productos lácteos enteros.
Ésta es una de las malas. El problema de estas grasas es que aumentan el nivel de colesterol "malo" en sangre que puede atascar las arterias y producir problemas cardíacos. Mantén una ingesta mínima. Elige cortes de carne magra y quítales la grasa antes de cocinarlos, pásate a la leche desnatada (o semi) y reduce la dosis de mantequilla.

Las grasas *trans* se encuentran en la margarina dura, las grasas para cocinar y la bollería industrial.
Cada año que pasa surgen más pruebas de que esta grasa hecha por el hombre puede ser incluso peor para la salud que las grasas saturadas. La grasa *trans* aumenta el colesterol "malo" y, de hecho, hace bajar el colesterol "bueno" que ayuda a desatascar las arterias. Busca las grasas *trans* en las etiquetas –también llamados aceites hidrogenados– e intenta evitarlas en lo posible.

Las grasas poliinsaturadas están en el maíz, los aceites de alazor y girasol y en la margarina de girasol.
Se trata de una grasa relativamente neutral. Aunque hace bajar el colesterol 'malo", también hace que descienda el colesterol "bueno". Puede formar parte de una dieta sana, pero no es tan buena como las grasas monoinsaturadas.

Grasas monoinsaturadas

Presente en el aceite de oliva, los aguacates y los frutos secos.

Éste es el tipo más sano de grasa que se puede tomar. Reduce los niveles de colesterol "malo", y aumenta los del colesterol "bueno". Pasándote al aceite de oliva puedes protegerte de las enfermedades cardíacas, e incluso ayuda a prevenir el cáncer de intestino.

Ácidos grasos esenciales

Los ácidos grasos Omega-3 están presentes en los pescados azules grasos como el atún, las sardinas y el salmón. Impiden la formación de trombos y protegen el corazón. Los ácidos grasos Omega-6 están presentes en el aceite de linaza y las verduras de hoja. Ayudan a potenciar el sistema inmunológico.

Casi todos obtenemos bastante Omega 6 de nuestra dieta, pero no suficiente Omega 3. Para remediarlo, intenta comer una o dos raciones de pescado graso a la semana.

TRUCOS FÁCILES PARA COMER MENOS GRASAS

- Comprar siempre leche desnatada (sin grasa o 1%) o semidesnatada (2%). La leche semidesnatada tiene la mitad de grasa que la leche entera, pero las mismas cantidades de calcio y proteínas.
- Usa aceite de oliva en vez de mantequilla.
- Sustituir la nata por yogur bajo en grasas (o sin grasas) o *crème fraîche*.
- Pásate al queso semigraso o come porciones más pequeñas de queso más fuerte, que te ofrecerán un gran estímulo gustativo a cambio de sus calorías.
- Aliña tú misma la ensalada con aceite de oliva, zumo de limón y vinagre balsámico en vez de usar mayonesa o aliños cremosos prefabricados.
- Toma aperitivos a base de nueces o fruta seca en vez de patatas fritas y galletas (sean de la marca que sean).
- Toma fruta fresca o cocinada, en vez de pasteles o tartas.
- Usa el microondas, cocina al vapor, a la plancha o cuece en vez de asar o freír.
- Reduce la cantidad de carnes grasas, como salchichas y filetes, que comes.
- Consume los productos de hojaldre (como los cruasanes) con moderación.
- Mide el aceite para cocinar con una cuchara en vez de verterlo de la botella.

Cuidado con las comidas bajas en grasas

Los productos etiquetados como "bajos en grasas" a menudo llevan otros "venenos": conservantes E, calorías y edulcorantes artificiales. Además, tienen pocas vitaminas y minerales. Bajo en grasa no es sin grasa; pueden ser alimentos muy malsanos. Algunas salchichas bajas en grasa contienen más de un 10% de grasa, lo que es mucho. Un producto "bajo en grasa" debe tener al menos un 25% (de ésta) menos que el producto estándar. Pero estos tipos de comida suelen tener un elevado contenido en grasas y, por tanto, su versión "baja en grasas" puede tener cantidades tanto de grasas como de calorías.

LA REALIDAD DEL AZÚCAR

El azúcar hace que la comida sepa bien, pero puede ser muy adictivo y engorda. Sólo tiene calorías; no contiene **nutrientes** y no la necesitamos como energía, obtenemos la suficiente de otros alimentos que comemos. Por su gran contenido en calorías, el azúcar en exceso puede hacerte engordar. **Bajar el consumo** de golosinas y no añadir azúcar a la comida son los mejores modos de bajar las calorías sin perder nutrientes. Para empeorar las cosas, muchas comidas azucaradas, como los pasteles y el chocolate, tienen mucha grasa. Comprueba los ingredientes en busca de fuentes ocultas de azúcar (como glucosa, dextrosa, fructosa, miel y jarabes).

CINCO TRUCOS PARA REDUCIR EL AZÚCAR

1. **Bebe** refrescos bajos en calorías.
2. **Habitúate** a tomar el té y el café sin azúcar: prueba a reducir la dosis poco a poco.
3. **Unta menos mermelada** o miel en el pan y las tostadas.
4. **Usa la mitad** de azúcar en tus recetas.
5. **Escoge cereales** que no estén envueltos en azúcar, o que no contengan mucho azúcar añadido.

QUÉ DEBE CONTENER UNA DIETA SANA

Vale, olvidemos las dietas rápidas de moda por un momento y volvamos a lo básico: carne (proteínas), patatas (carbohidratos) y verduras. Hay estudios que muestran que en los años 40 y 50, cuando las comidas eran más sencillas y pertenecían a los tres grandes grupos de alimentos, la gente **pesaba menos** y estaba más sana. Un estudio del Profesor Philip James, jefe del grupo de trabajo del *International Obesity Task Force*, reveló que los niños de ocho años consumen hoy de media 1 200 calorías al día **MÁS** que los de hace 60 años.

Actualmente, la dependencia de la comida precocinada y la comida rápida nos ha dejado muchos gordos y enfermos. La mayoría de estas comidas están repletas de grasas, azúcares y aditivos artificiales. Añade esto a la tendencia de los *Delicatessen*, supermercados y restaurantes a las "megaporciones"... y no es de extrañar que el mundo esté al borde de una "epidemia" de obesidad.

Preparar tu propia comida, por tanto, es el único modo de controlar lo que comes. No lleva mucho tiempo, hay modos sencillos y rápidos de combinar los siguientes alimentos y preparar las tres comidas del día.

PROTEÍNAS

Come proteínas en cada comida: llenan y mantienen el metabolismo a tope. Las fuentes más sanas de proteínas son: carne roja magra, pollo, pavo, caza, pescado, lácteos sin grasas y huevos. Las vegetarianas son: frutos secos, alubias, lentejas y tofu.

CARBOHIDRATOS

Como las proteínas, deben incluirse algunos hidratos de carbono en las comidas porque aportan fibra y gran parte de la energía que necesitamos a lo largo del día. Evita los productos refinados, como el pan blanco y el arroz, y busca los integrales, que tienen un IG (Índice Glicémico) bajo. Esto significa que se digieren lentamente, liberando azúcar en el torrente sanguíneo durante un largo período, manteniendo bajo control la segregación de insulina (hormona del almacenamiento de la grasa).

FRUTAS Y VERDURAS

Come 1 pieza de fruta con el desayuno, 2 raciones de verdura en la comida y 2 con la cena: es una sencilla manera de comer las 5 raciones recomendadas al día. Valen frescas, enlatadas o congeladas. Según un análisis del año 2000 del *Department of Food Science and Human Nutrition Analysis* de la Universidad de Illinois, la fruta y verdura en lata es, en general, equivalente a la fresca y congelada.

★ PISTA La carne a la plancha y la verdura cocida son sanas, pero no una gran tentación para los sentidos. Espécialas con un poco de *pesto*, hierbas frescas y limón, chiles, ajo o cebolletas recién picadas.

Guía de trucos: cómo comer más frutas y verduras

Aunque la fruta y la verdura son fuentes ricas en vitaminas y minerales protectores, la mayoría no comemos las suficientes. Si la idea de comer cinco porciones de fruta y verdura al día te horroriza, no desesperes. He aquí algunos trucos para lograr tu objetivo:

Empieza el día con un batido

Mezcla con una batidora o una licuadora algo de fruta blanda y leche semidesnatada. Prueba con un plátano, unas fresas y unos trozos de piña: ¡tres deliciosas porciones de fruta en una sentada!

Come sopa

De modo similar, puedes hacer una sopa con una gran variedad de verduras, como zanahorias, guisantes, cebollas y apio. De nuevo, consumirás buena parte de tu cuota diaria en una sola comida.

Rellena el congelador

Quizá te sorprenda, pero las frutas y verduras congeladas a menudo contienen más vitaminas que las frescas. Esto se debe a que se congelan el mismo día en que se recogen, mientras que los productos frescos pueden tardar hasta dos semanas en llegar a los mostradores del supermercado, perdiendo parte de su contenido en vitaminas.

Cocina con cuidado

No pases las verduras, o les quitarás la mayoría de las vitaminas y gran parte del sabor. Usa poco agua o, mejor aún, hazlas al vapor. Alternativamente, hazlas al microondas durante un par de minutos, usando también poco agua.

COMIDA SANA A LA CARRERA

¡No intentes ser una diosa en tu casa! A veces sólo tienes tiempo y fuerzas para hacerte una comida rápida, pero... no estás sola. En una encuesta del año 2001 del *UK Cathedral City Dairy*, **para más del 65%** de las mujeres, la hora de la comida era un desastre y preferían encargar la comida si era posible. Hoy, nuestros agitados estilos de vida no nos permiten el **lujo de disfrutar** de todas las comidas (y, a veces, de ninguna) en casa. Pasea por cualquier ciudad a la hora de comer y verás a la gente apresurada por las calles, masticando hambrienta cualquier cosa que puedan sujetar con una mano.

El trabajo ocupa la mayor parte de nuestro tiempo; luego, hay que **ver a los amigos**, ir al gimnasio, estar con nuestra pareja y con la familia. Encajar la comida sana entre tanta actividad es, al menos, difícil. Pero el problema de comer sobre la marcha es la **falta de calidad** y de **opciones** en oferta. Entra en una tienda normal y lo único que hay son comidas procesadas de alto contenido en grasas y azúcares. ¿Cómo mantenerte sana y en forma cuando tienes prisa? El truco es que te conviertas en una experta en crear comidas nutritivas (pero saciantes) con el limitado tiempo del que dispones.

SÉ **PREVISORA**

Cualquier dieta puede acabar mal si esperas a estar muerta de hambre antes de comer, ¿y quién sale vencedora cuando se enfrenta al pastel de cumpleaños de una compañera de trabajo a media tarde? Un poco de planificación es muy útil: si sabes que te vas a pasar la tarde en una reunión, lleva contigo algo que puedas comer deprisa y discretamente para evitar así una bajada del azúcar en sangre y aplacar el apetito.

APROVECHA BIEN LOS **RESTOS**

Si tienes microondas en el trabajo, puedes llevarte las sobras de pasta y estofados al día siguiente en un recipiente de plástico y recalentarlas para la comida.

DALE A LOS ZUMOS

Vete a la cafetería más cercana para tomarte un cóctel de frutas frescas: a menudo, puedes escoger los ingredientes. Si tienes cocina en el trabajo, usa una batidora de mano para mezclar fruta picada y yogur, y obtener así un batido sano y bajo en grasas.

ENVUÉLVELA

Para preparar una comida rápida que puedas comer en el coche o en el tren, envuelve trocitos de pollo o pescado en hojas de lechuga o pan de pita. Añade unas verduras o trozos de manzana y tienes una nutritiva mini-comida.

LLEVA CONTIGO UN NECESER DE VIAJE

La clave está en dar con comidas sanas que viajen bien, como el queso fresco, el yogur, el apio, los pimientos, las zanahorias y las manzanas. Haz tu propia "mezcla de emergencia" de nueces y fruta seca, y llévala contigo al trabajo.

HAZ UNA LISTA

Piensa todas las combinaciones de "snacks" que se te ocurran -algunos frescos y otros más duraderos- y haz acopio de los ingredientes necesarios cuando hagas la compra semanal. Así, tendrás siempre diversas opciones nutritivas cuando tengas ganas de comer algo.

4 cenas rápidas bajas en calorías

He aquí cenas que puedes preparar en minutos con ingredientes de la despensa y el congelador.

1 Sopa de verduras con un panecillo integral.
2 Patata asada con atún y pimientos rojos.
3 Mezcla para saltear y arroz -hechos en un wok-.
4 Ensalada de alubias con hojas de verdura.

EMPAREDADOS SANOS

¿Te vas a comer un emparedado sobre la marcha? Los emparedados pueden ir de pesados a pecaminosos, y no sólo por los ingredientes que contienen. Ya sabemos que hay que evitar los rellenos con mucha mayonesa y mantequilla, pero ¿sabías que también importa el tipo de pan que elijas? Usa la cabeza y opta por la variedad más sana para ahorrarte calorías y grasas.

EN EL BAR DE LOS EMPAREDADOS:

OLVÍDATE del pan blanco

Este pan tan popular se fabrica con harina blanca refinada desprovista de su fibra y sus nutrientes en la refinación y reforzada con las vitaminas B (tiamina, niacina) y los minerales hierro y calcio. Aporta muy poca fibra y tiene un índice glicémico elevado, lo que significa que libera azúcar en el torrente sanguíneo muy deprisa, lo que conduce a pérdidas de energía y espasmos de hambre.

Una rebanada contiene: 79 calorías y 1 g de grasa

OPTA POR el pan integral

Se fabrica con harina hecha con el grano entero molido, por lo que conserva la cáscara exterior (llena de fibra), y el germen (rico en vitaminas del complejo B).

Una rebanada contiene: 75 calorías y 0,9 g de grasa

EN EL *DELICATESSEN* ITALIANO:

OLVÍDATE de la *focaccia*

Este pan italiano se "embadurna" con aceite de oliva y se espolvorea con sal, por lo que tiene un alto contenido en grasas y sodio. A veces, se le añaden hierbas y tomates secados al sol para darle más sabor.

Una rebanada contiene: 80 calorías y 2,4 g de grasa

OPTA POR la *ciabatta*

Se trata de un pan tradicional italiano hecho con aceite de oliva, que tiene una textura más ligera que la del pan blanco común. No contiene demasiada fibra, pero es más sano que la *focaccia* porque tiene mucha menos grasa.

Una rebanada contiene: 73 calorías y 1 g de grasa

★ PISTA Elige rellenos italianos bajos en grasa y altos en sabor para los emparedados, como verduras a la parrilla y tomates secados al sol, pero ahórrate el Gorgonzola y otros quesos que engordan.

EN EL MERCADO:

OLVÍDATE del *naan*

Estos panes planos indios contienen mantequilla clarificada (*ghee*), luego tienen mayor contenido en grasas que otros tipos de pan. También se rellenan a menudo con nueces o carne, lo que aumenta aún más su valor calórico. Resérvalo para un capricho ocasional.

Un *naan* mediano contiene: 445 calorías y 12 g de grasa

OPTA POR el pan de pita integral

Las pitas son panes planos sin levadura, típicos del Mediterráneo, que pueden rellenarse con diversos ingredientes para hacer un emparedado. Su contenido nutritivo es similar al del pan corriente (*véase* la pág. 103), pero la variedad integral es rica en fibra.

Un pan mediano contiene: 200 calorías y 1 g de grasa

TARTERAS BAJAS EN GRASAS

Llevarse la comida al trabajo tiene la ventaja de que puedes **controlar lo que comes** y te ahorra dinero, por lo que tendrás más para gastar en esos zapatos o ese producto de belleza que tienes que tener. Lo malo, sin embargo, es que requiere cierta **planificación previa** a la compra semanal y diaria pero, si te habitúas, no te costará tanto.

OPCIONES **SANAS**

- Haz emparedados con panes interesantes, como con semillas de centeno o con alcaravea, y rellénalo con verduras para ensalada y tomates. O con huevo, plátano machacado, atún o pollo.
- Usa las sobras de anoche para hacer ensaladas de pasta o arroz. Prueba a añadir pimientos verdes o rojos, pepino, pollo frío, atún o alubias blancas.
- Llena termos con una reconfortante sopa para tomar en invierno.
- Sustituye los dulces o el chocolate por yogur o queso fresco.
- Intenta incluir, al menos, una pieza de fruta y que ésta sea fácil de comer: por ejemplo, una manzana cortada en cuatro o una naranja.

★ **PISTA** **Usa el rato que tarda en hacerse el café de la mañana o en calentarse la plancha para preparar y empaquetar tu comida.**

SNACK ATTACK

Comer con regularidad a lo largo del día es un buen modo de alejar la sensación de abatimiento. Los "snacks" mantienen tu metabolismo en marcha, por lo que no estarás hambrienta al llegar las comidas principales. Además, si te espera un día lioso y consigues encajar cuatro bocados en tu agenda, perder la hora de comer no será tanto desastre. Lo que elijas comer, sin embargo, es crucial para el éxito de la dieta, así que he aquí unas cuantas estrategias para disfrutar de esos bocados entre horas sin sentirte culpable.

SABOREA CADA **BOCADO**

Si comes sobre la marcha, mientras trabajas o incluso viendo la tele, comprobarás que la comida desaparece sin que te des cuenta. Tómate tiempo para sentarte, apaga el ordenador si puedes, y **concéntrate en disfrutar** de tu "snack". Comerás más despacio y te resultará mucho más saciante.

PIENSA ANTES DE COMER

Los estudios sobre los hábitos de picoteo en el trabajo descubrieron que el 61% de los "snacks" se comen por puro aburrimiento. Así, antes de echar mano a la comida, asegúrate de que tienes hambre; si no la tienes, tómate un vaso de agua o date un paseo a **paso rápido**.

OPTA POR LAS **PROTEÍNAS**

Para obtener una energía duradera, tómate un **"snack" rico en proteínas**, como pequeños trozos de pollo o un puñado de frutos secos. Te sentirás llena más tiempo que con los carbohidratos (como el pan, las patatas o la pasta).

ELIGE BIEN **EL MOMENTO**

No piques justo antes de una comida. En el año 2002, investigadores de la Universidad de Minnesota descubrieron que picar media hora antes de una comida significa que se come más que picando más temprano. El cuerpo sólo envía señales de "lleno" al cerebro cuando ha tenido tiempo de **absorber la comida**.

NO TE **PRIVES**

Debes comer cuando sientas hambre. EL cuerpo te indica así que necesita combustible, y es mejor comer en cuanto sientas hambre que atiborrarte después por haberte privado. Además, si tienes demasiada hambre, es más probable que pierdas el control y elijas la opción más malsana. La regla **"poco y a menudo"** ayuda a evitarlo.

OPCIONES SANAS

Es importante escoger los aperitivos adecuados porque la comida rica en grasas o azúcar (como las tabletas de chocolate o las patatas fritas) entre horas puede aumentar con gran rapidez tu **ingesta calórica**.

BUSH

"Snacks" inteligentes: la solución

- ★ Un cuenco de cereales con leche desnatada satisface el ansia de dulce, pero tiene mucho menos azúcar y grasas, y es más nutritivo que los pasteles o las galletas. Los copos de salvado o el muesli bajo en azúcar son buenas opciones.
- ★ Unas simples palomitas espolvoreadas con pimentón o queso Parmesano saben muy bien y contienen muy pocas calorías.
- ★ La mayoría de los supermercados venden bolsas de verduras picadas crudas -como zanahorias o apio- que pueden picarse todo el día.
- ★ Si estás en casa o tienes microondas en el trabajo, las tostadas con alubias saciantes y nutritivas mantienen a raya el hambre.
- ★ Los *crackers* integrales o las tortas de arroz pueden untarse con mantequilla de cacahuete.
- ★ La fruta fresca y fácil de comer, como el plátano, la manzana y la pera, aumentan los niveles de energía y aportan muchos nutrientes.
- ★ Un puñado de frutos secos sin sal sacia el hambre y aporta muchos minerales esenciales. Un informe del año 2003 del *International Journal of Obesity* desvelaba que la gente que los comía como parte de una dieta sana perdía más peso que los que no lo hacían.

DATE UN HOMENAJE

Las dietas que supongan negarte a ti misma la menor indulgencia no funcionarán. Acabas sintiéndote desdichada y pensando obsesivamente en lo que no te está permitido, lo que puede iniciar un ciclo de "atiborre-culpa" (o, incluso, hacer que abandones la dieta). **Darte un homenaje** no significa hartarse de comida rica en grasas; prueba uno de estos deliciosos antojos (casi) libres de grasa y obtendrás toda la satisfacción por la mitad de calorías.

NIDO DE MERENGUE CON FRUTA FRESCA Y *CRÈME FRAÎCHE*

Dado que el merengue se hace usando sólo azúcar y claras de huevo, no contiene grasa. Ni tampoco la fruta, por lo que puedes permitirte rematar este capricho con una buena nuez de *crème fraîche* semidesnatada. Añade **fresas** y arándanos y aumentarás a la vez la ingesta de **antioxidantes** (buenos contra las enfermedades).

CHOCOLATE CALIENTE

No hay nada más reconfortante que una taza humeante de chocolate: te calienta y levanta el ánimo, en especial en los **fríos días invernales**. El chocolate a la taza normal tiene al menos 140 calorías y 4 g de grasa por taza. **Las bebidas "chocolateadas" bajas en grasas** contienen sólo 1/3 de las calorías por taza y prácticamente nada de grasa, por lo que obtienes el mismo sabor sin los malos *efectos secundarios*.

DELICIAS TURCAS

Hablamos de la variedad tradicional, no de la cubierta con chocolate. Pide a tus amigas y amigos que te regalen este capricho en ocasiones especiales, en vez de la habitual caja de bombones. No contienen **nada de grasa** y tienen muchas menos calorías -unas 45 calorías por unidad- pero parecen un exceso y saben **deliciosas**.

GELATINA

Regresa a la infancia con un cuenco de gelatina de fresa o de lima. Sabe tan bien que ni siquiera notarás que no tiene grasas, y si optas por la variedad **sin azúcar** eliminarás también la mayoría de sus calorías. Añádele unas rodajas de fruta fresca antes de que cuaje: tendrá aún más **sabor** y será aún más sana.

UN PUÑADO DE GOMINOLAS

Estos sabrosos dulces no llevan nada de grasa, por lo que son otro **perfecto sustituto del chocolate** con sólo 7 calorías por unidad. Puedes comerte unas 40 por el mismo valor calórico que una tableta pequeña de chocolate.

BAGEL TOSTADO CON MIEL

Cambia el bollo de por la mañana por un *bagel* **integral** con miel y sin mantequilla y te ahorrarás muchas calorías: 250 calorías y 1 g de grasa, frente a nada menos que 445 calorías y 21 g de grasa.

SORBETE DE FRUTAS

¡Qué le vamos a hacer! Los helados son grasa pura. Si quieres disfrutar de una dulzura fresca y **refrescante**, tómate un sorbete o una barra de frutas congeladas hecha con frutas frescas. Los sorbetes tienen muy poca grasa y **pocas calorías**, así que puedes disfrutar sin remordimientos y potenciar a la vez tu ingesta de frutas.

¿CUÁL ES TU PERSONALIDAD ALIMENTARIA?

¿Te cuesta trabajo hacer dieta? No te preocupes, no estás sola: los estudios muestran que un **escandaloso 90%** de las dietas fracasan. ¿Qué hace tan difícil seguir una dieta? Los expertos creen tener hoy la respuesta: al parecer, lo que comemos y cuándo comemos puede tener más que ver con nuestra personalidad que con el hambre. Así, si consigues comer sano casi siempre y sólo vas a la repostería cuando estás estresada, necesitas una dieta a la medida de tu "personalidad alimentaria" para **perder peso con éxito**. Tiene sentido: todos somos distintos, y no es de extrañar que un método que funciona de maravilla con unas resulte ser un desastre con otras. Una dieta adecuada, sin embargo, debe poner a tu personalidad de tu parte, haciendo además que el perder peso sea más fácil y menos estresante.

Rellena este cuestionario para descubrir tu personalidad alimentaria y averiguar qué tipo de dieta respetarás más.

P1 ¿POR QUÉ CREES QUE TUS DIETAS FRACASAN NORMALMENTE?

A Estoy demasiado ocupada para planificar las comidas en condiciones todos los días.

B Empiezo bien, pero en cuanto algo va mal en mi vida, la dieta se va "al garete".

C Va bien cuando estoy sola, pero mi familia y mis amigos me incitan a saltármela a la hora de comer y en los acontecimientos sociales.

D Si no pierdo peso casi de inmediato, pierdo la motivación.

P2 ¿QUÉ ENUNCIADO DESCRIBE MEJOR TU ACTITUD HACIA LA COMIDA?

A Me paso la vida combatiéndola.

B Para mí la comida es un placer que puede hacerme sentir mejor cuando me siento depre.

C ¡Me encanta comer! No hay nada mejor que disfrutar de una buena comida en buena compañía.

D Es sólo combustible. No pienso mucho en ella.

P3 ¿QUÉ SUELES COMER A DIARIO? ELIGE LA RESPUESTA QUE MEJOR DESCRIBA LO QUE COMES TODOS LOS DÍAS.

A Me salto el desayuno y a veces la comida si estoy ocupada, y suelo encargar la comida o hacerla al microondas cuando llego a casa.

B Suelo saltarme el desayuno, pero suelo comer y cenar bien para compensar.

C Desayuno, comida y cena, picando entre horas.

D No tengo horas fijas, picoteo durante todo el día.

P4 CUANDO TIENES ANSIA POR ALGO, ¿QUÉ ES LO MÁS PROBABLE QUE SEA?

A Comida rápida, una *pizza* o una hamburguesa.

B Algo reconfortante con mucho almidón (como las patatas fritas, pan o pasta).

C Algún capricho como una bola de helado o un trozo de tarta.

D Comidas sabrosas, como la carne o el queso.

P5 ¿EN QUÉ AFECTA EL ESTRÉS A CÓMO COMES?

A Si estoy liada, me salto comidas y voy picoteando.

B Tiendo a comerme todo lo que me encuentro para superar el difícil momento.

C Hace que pierda el apetito; pueden darme las cinco sin que haya comido casi nada desde el desayuno.

D En nada. Sigo comiendo como siempre.

P6 EN GENERAL, ¿QUÉ HACES CON LA COMIDA CUANDO EMPIEZAS A SENTIRTE LLENA?

A Parar y dejar lo que queda.

B No suelo sentirme llena.

C Acabar lo que me queda. ¡No se debe desperdiciar la comida!

D Me la termino y, a menudo, me sirvo otra vez aunque no tenga hambre realmente.

P7 ¿CÓMO PREFIERES HACER LAS COSAS?

A Sola.

B Con otra persona.

C En un grupo grande.

D Me gustan tanto las actividades de grupo como las individuales.

P8 ¿QUÉ ENUNCIADO DESCRIBE MEJOR TU PERSONALIDAD?

A Alegre en general, pero propensa al estrés.

B Arriba a ratos, abajo a ratos.

C Sociable y amante de la diversión.

D Soy bastante relajada, y me dejo llevar por la corriente la mayoría de las veces.

PREDOMINIO DE "A": LA COMILONA **ESTRESADA**

Con una agenda ocupada, tiendes a saltarte las comidas durante el día, a consumir "snacks" malsanos para ir tirando y a cenar opíparamente para compensar. Pero, como a menudo estás ocupada hasta muy tarde, lo único que te apetece hacer cuando llegas a casa es encargar comida o meter al microondas alguna comida precocinada.

Fracaso de la dieta

Este tipo de comedora suele consumir "snacks" azucarados o grasos en vez de comidas nutritivas, los que no sólo contienen muchas calorías, sino que producen un subidón de energía breve que va seguido de una sensación de cansancio.

La dieta más **eficaz** para ti

La falta de tiempo hace que la dieta *on-line* sea ideal: es rápida, fácil y sin complicaciones. La mayoría de los sitios de Internet sobre dietas te dirán la ingesta diaria de calorías necesaria para alcanzar tu peso objetivo, y es fácil introducir lo que comes cada día en una calculadora alimentaria y controlar cómo la llevas.

Pistas para tener éxito

- Intenta usar algo del talento organizativo que empleas en tu trabajo y planificarás mejor tus comidas. Guarda en el trabajo una caja de cereales integrales y ten a mano un buen suministro de "snacks" sanos, como fruta seca o nueces sin salar en el cajón de la mesa.
- Entiende que las comidas bajas en grasa recién hechas no tienen por qué llevar mucho tiempo. Ten una bolsa de verduras preparadas en el congelador para un salteado, y haz acopio de latas de tomates con hierbas para hacer una rápida salsa para la pasta.

PREDOMINIO DE "B": COMEDORA DE CONSUELO

Te pasas la mitad del tiempo siendo buena y la otra mitad cometiendo excesos según tu estado emocional. Esto puede ralentizar tu metabolismo, dificultando a largo plazo que pierdas peso.

Fracaso de la dieta

Cuando las cosas van mal, te consuelas con gran cantidad de tus comidas favoritas ricas en grasas.

La dieta más eficaz para ti

Necesitas de un programa dietético que resuelva el aspecto "emocional" de tu problema. Las organizaciones de comedores compulsivos podrán ayudarte si crees que, quizás, seas adicta a la comida.

Pistas para tener éxito

- La próxima vez que tengas una crisis, en vez de echar mano a un pastel de crema, piensa en algo no relacionado con la comida que te haga sentir mejor. Llama a tu amiga más positiva para animarte, o pon tu canción favorita a todo volumen.
- Si aún ansías la consoladora sensación de estar llena, incluye alimentos bajos en grasa y ricos en fibra para que la comida de deje llena durante más tiempo. Algunas opciones son el arroz y la pasta integral, las patatas asadas y el cuscús.

PREDOMINIO DE "C": PICADORA

SOCIAL

Te encanta comer y beber en actos sociales, sean los que sean.

Fracaso de la dieta

Saltarte el postre cuando todo el mundo lo toma te sienta mal, prefieres saltarte el desayuno y ahorrarte calorías más adelante. Pero varios estudios han revelado que la gente que desayuna a diario es más esbelta que la que se lo salta, ya que tiende menos a comer en exceso a lo largo del día.

La **dieta más eficaz** para ti

Tu personalidad extrovertida significa que serás capaz de convertir la pérdida de peso en un acontecimiento social. Un método dietético en grupo, que implique reuniones periódicas como las de algunos clubs de adelgazamiento, es ideal para ti.

Pistas para **tener éxito**

- La próxima vez que tengas invitados a cenar, intenta prepararles una comida más sana. Es fácil sustituir los quesos normales por quesos bajos en grasa, la nata por *crème fraîche*, y usar cortes más magros de carne sin perder nada de sabor.
- Si sabes que vas a salir a cenar, asegúrate de comer bien durante el día. Así no estarás hambrienta y tenderás menos a cenar en exceso.
- Si el vino es tu peor enemigo, intenta alternar cada copa con un vaso de agua. Reducirá a la mitad la cantidad bebida y reducirá el riesgo de que acabes teniendo resaca a la mañana siguiente.

PREDOMINAN LAS "D": **COMEDORA** INCONSCIENTE

Es probable que la comida no te interese mucho y la veas como combustible. Además, no te gusta el desperdicio y prefieres terminarte el plato antes que tirar nada (así que, a veces comes de más sin darte cuenta).

El **fracaso** de la dieta

Ya que la comodidad y la sencillez son tus grandes prioridades, la comida que comes tiende a ser alta en calorías y baja en nutrientes. Comes más calorías de las que crees.

La dieta más **eficaz** para ti

Una vez conozcas las reglas para comer sano, es probable que se te dé bien seguirlas. Te beneficiará, porque sabiendo más sobre nutrición aprenderás a distinguir entre las buenas y las malas opciones nutritivas. También te sería útil visitar a un dietista titulado (quizá tu médico conozca a alguno) que te prepare una dieta personalizada.

Pistas para el **éxito**

- Ojo, no es pecado tirar comida si ya estás llena. Es mejor que usar tu estómago como "cubo de basura".
- Siéntate siempre a comer, no comas a la carrera.
- Evita el mezclar las comidas con otras actividades, como ver la tele. Si te centras en lo que estás comiendo, es más fácil darte cuenta de cuando estás llena.

¿Y LAS **COMIDAS PARA LLEVAR**?

Tras un día laborioso, una *pizza* o una comida para llevar es lo más cómodo. Hay veces que, por mucha comida "rápida" que tengas en la nevera o en la alacena, no te apetece meterte en la cocina. Lo único que quieres hacer es hundirte en tu sofá con **sabrosa comida para llevar**. El único problema es que la mayor parte de la comida para llevar contiene grasas y calorías ocultas en cantidad. ¡Algunos platos pueden llegar a aportar toda la dosis de grasa asignada a un solo día! Pero, afortunadamente, controlar tu peso no significa que tengas que privarte de este lujo, se trata sólo de saber qué encargar y qué evitar la siguiente vez que llames a tu **emporio local de comidas servidas a domicilio**.

INDIA

Qué evitar

- Los *oppadums*, *samosas* y *bhajis* de cebolla, fritos y repletos de calorías.
- Salsas de curry con nata, como las *korma* y *passanda*.

Cómo hacer que resulte más sana

- Encarga platos cocinados en seco de *tandoori* o currys con tomate, como el *rogan josh*.
- Saca partido a los deliciosos platos vegetarianos en oferta, como el *dhal* de lentejas, las *saag* (espinacas) y la coliflor.
- Opta por el arroz hervido. Es mucho más sano que el *pilau*, que tiene mucho aceite.
- Como pan, elige *chapattis* o *roti*: son mejores que el *naan*, que lleva mucho *ghee* (mantequilla clarificada).

★ **PISTA** **En muchos currys se puede reducir la grasa quitando el exceso de aceite antes de servirlos.**

CHINA

Qué evitar

- Los fritos están llenos de grasa. Eso significa pasar de los rollitos de primavera (o de huevo), las algas y el pato a la Pekinesa.

Cómo hacer que resulte más sana

- Elige sopas como la de pollo y maíz dulce, *wonton* o agridulce, mucho más "amables" con tu cintura.
- Opta por salteados que lleven mucha verdura.
- Elige carnes sin rebozar. Entre las salsas bajas en grasa están las de habas, la *teriyaki* y la salsa de soja.
- Pide proteínas bajas en grasas, como pollo, gambas o tofu.
- Pide arroz blanco en vez de frito y compártelo: las raciones de arroz suelen ser muy abundantes

★ PISTA Comer con palillos hará que la comida te dure más porque te llevas porciones más pequeñas a la boca, y tendrás la impresión de que has comido más.

ITALIANA

Qué evitar

- Los pequeños extras: las calorías se suman deprisa. Pregúntate si realmente necesitas pan de ajo, más pimientos y queso, bebidas carbonatadas o helado.
- Los tamaños grandes. No los pidas sólo porque salgan más baratos.

Cómo hacer que resulte más sana

- Comparte la *pizza* con tus amigas y encarga una enorme ensalada para acompañarla. Así, todo el mundo estará pendiente de la cantidad que come.
- Opta por la "versión profunda": una *pizza* de base gruesa contiene una mayor proporción de carbohidratos y menos grasas que la versión de base fina.
- Añade verduras extra o piña. Además de resultar deliciosa, te anotarás cinco porciones de fruta y verdura

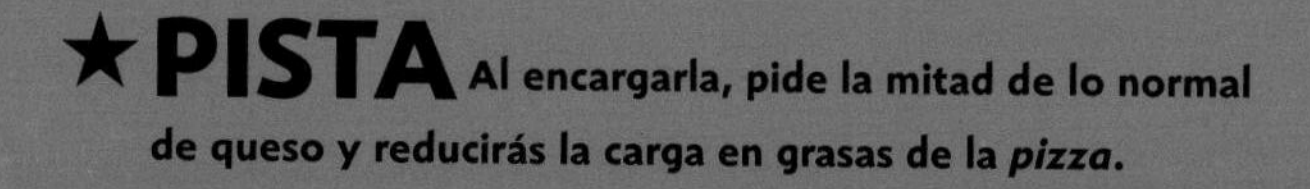

CÓMO HACER DIETÉTICA UNA COMIDA FUERA DE CASA

Comer en restaurantes puede ser el fracaso de hasta la más empeñada. La comida contiene a menudo demasiada grasa, sal o azúcar, y las raciones son siempre mayores que las que comerías en casa. Siguiendo unas pocas reglas, te será posible mantener tu plan de comida sana y, aun así, disfrutar de una salida con tus amigos.

- Escoge platos asados, a la parrilla (al *grill*), cocidos o al vapor. Rehuye de los fritos. Pregúntale al camarero si no sabes cómo está cocinado algún plato.
- Sáciate con ensaladas y porciones extra de verdura.
- Si sabes que en el restaurante al que has ido sirven raciones grandes, encarga medias raciones o un entrante como plato principal.
- Pide las salsas y los aliños aparte. Así podrás controlar la cantidad que comes y usar menos sin dejar de disfrutar de su sabor.
- Compartir los primeros platos y los postres con una compañera o un amigo es una gran idea, ya que así puedes probar algo que te apetece sin comer de más.

★ PISTA Apúntate a la cocina japonesa. Es de las que menos grasas usa. Pide *sushi*, sopa de *miso* o fideos salteados con verdura. Son sabrosos y no arruinarán tu dieta.

TOMANDO ENSALADAS: LOS SEMÁFOROS

Los bares/cafeterías que sirven ensaladas parecen un buen modo de comer más verduras pero, dependiendo de lo que elijas, puedes acabar añadiendo a tu comida un montón de calorías y grasas. Por ejemplo, muchas de ellas llevan mucha mayonesa, que convertirá tu comida sana en un hartazgo de grasas. Sigue leyendo y sabrás qué comidas obtienen luz verde (puedes comer toda la que quieras), ámbar (tienen aspectos beneficiosos, pero cuidado con la cantidad) o roja (evitarlas a toda costa).

LUZ VERDE

Tomates

Ricos en betacarotenos, vitaminas C y E, los tomates son también una fuente de licopenos: un antioxidante que, según recientes investigaciones, nos ayuda a protegernos del cáncer. Son, claro, **bajos en calorías.**

Ensalada de **arroz** y verduras

Un plato excelente y saciante lleno de fibra y nutrientes, sobre todo si está hecha con arroz salvaje. Las verduras que contiene la ensalada son una **buena fuente de vitaminas** y minerales, pero evita los aliños con aceite porque pueden estar repletos de grasas ocultas.

Palitos de zanahoria y apio

Ambas verduras son bajas en calorías y, si intentas no mojarlas en nada que tenga mucha grasa, puedes comer cuanto quieras. El apio es una buena opción con mucha fibra, y las zanahorias contienen betacaroteno, que el cuerpo utiliza para fabricar la vitamina A. El betacaroteno es también un poderoso antioxidante y consumido en abundancia puede ayudarte a **reducir el riesgo de enfermedades cardíacas** y ciertos cánceres.

Hojas de **lechuga** mixtas

En general, cuanto más oscuras las hojas, más nutrientes contienen, como vitamina C, ácido fólico y potasio. De nuevo, cuidado con los aliños de aceite (usa **vinagre balsámico** o zumo de limón para añadir sabor).

Tzatziki

Si no puedes resistirte a mojar, ésta es la ideal. Se hace con yogur en vez de nata o aceite (luego es mucho más **baja en grasas**), pero tiene el sabor y la textura de las opciones más malsanas, como la nata agria con cebollinos o la salsa de queso.

SEMÁFORO **ÁMBAR**

Ensalada de alubias

Como tienen mucha fibra, los platos de alubias son muy saciantes. Las leguminosas en general son una buena **fuente de hierro** y una comida importante para quienes no comen carne. Si llevan un aliño aceitoso, escurre todo el que puedas antes de servírtelas en el plato.

Ensalada de pasta

Aunque es una buena fuente de carbohidratos, intenta elegir sólo platos con salsa de tomate o **tipo vinagreta**. La mayonesa la haría alta en calorías.

Queso fresco

Es una fuente rica en proteínas **para los vegetarianos** y contiene calcio, que es importante para la salud de los huesos. También contiene vitamina B, que ayuda a tener un sistema nervioso sano, y es bajo en grasas. Opta por el queso fresco en vez de la ensalada de patata (o la de col) si anhelas algo cremoso.

Semillas mixtas tostadas

Las semillas son altas en proteínas y contienen una buena cantidad de minerales como cinc, hierro y selenio. Si bien contienen bastante grasa, es sobre todo grasa monoinsaturada, **buena para el corazón**. El tostado potencia su sabor, y sólo necesitarás espolvorear unas pocas para gozar de él.

LUZ ROJA

Ensalada de atún

El atún tiene muchas proteínas, pero en la mayoría de los establecimientos de ensaladas usan la variedad enlatada en aceite en vez de en salmuera, lo que **aumenta su contenido en grasas.** Usa poca cantidad, la mayonesa dispara el contenido en grasas.

Pan frito

¡Ni mirarlo! Los picatostes se fríen en aceite o en mantequilla, por lo que su contenido en grasas es elevado. Usa zanahorias o semillas si quieres añadir **algo crujiente** a la ensalada.

Ensalada de col

Puede parecer sana con tanta **zanahoria y col**, pero incluye gran cantidad de mayonesa, por lo que no es buena idea si quieres perder peso. Si no puedes resistirte, sírvete muy poca y de variedades bajas en calorías (si las hay disponibles).

Ensalada de patata

Si no es de la **variedad baja en calorías**, lo mejor es que pases de la ensalada de patatas si aspiras a perder peso, ya que suele estar repleta de mayonesa.

Sobrevivir a las barbacoas del verano

Estar a dieta no puede arruinarte el verano.
La barbacoa es, en realidad, un modo muy sano de cocinar la carne, porque no se le añade grasa alguna. Elige sabiamente y disfruta con todos los demás.

- ★ **Selecciona alimentos bajos en calorías durante todo el día para disponer de más margen de calorías con el que jugar. Hay gente que sólo come fruta cuando sabe que le espera una comida importante a lo largo del día.**
- ★ **Toma la decisión tajante de llenarte el plato sólo una vez. No permitas que te convenzan de lo contrario.**
- ★ **No bebas alcohol. Bebe agua o refrescos sin azúcar, te ahorrarás calorías y controlarás mejor lo que comes.**
- ★ **Elige pollo y pescado si es posible, y quítale toda la piel al pollo.**
- ★ **Si adoras las salchichas o las hamburguesas y eres la anfitriona, cómpralas bajas en grasas.**
- ★ **Llena la mitad de tu plato con ensalada fresca, pero intenta comerla sola, sin aliño. Usa aliño sólo si sabes que es bajo en grasa.**
- ★ **Sírvete grandes raciones de comidas saciantes, como arroz, pasta, patatas o pan, pero ¡cuidado con la mantequilla!**
- ★ **Rehuye de las salsas ricas en grasa que contengan mayonesa y aceite: opta por alternativas con menos calorías como el *ketchup*.**

GUÍA DEL **BUEN BEBER**

Lástima, no se puede negar el hecho de que el alcohol tiene un elevado contenido calórico. Pero esto no significa que se acabaron los cócteles con los amigos y el vino con las comidas. Respecto al alcohol **bueno para la dieta**, están el bueno, el malo y el horroroso. Como regla, en las salidas nocturnas lo mejor es beber vino blanco seco o **licores blancos**, con un refresco bajo en calorías como una tónica o una cola dietética. Las bebidas que una chica sana debe evitar incluyen las bebidas alcohólicas azucaradas y los **cócteles con nata** como las "piñas coladas" y los "rusos blancos".

★ **PISTA** **No pidas aperitivos en los bares. Suelen estar llenos de calorías ocultas y de sal, con lo que acabas bebiendo aún más.**

CONOCE LAS **CALORÍAS QUE ESTÁS BEBIENDO**

POR MEDIDA ESTÁNDAR

Lo mejor de lo malo

Vodka y cola *light*
Vino blanco seco
Vino tinto
Champán
Una botella de cerveza
Daiquiri de fresa
"Bloody Mary"
"Manhattan"
"Baileys"

La escurridiza pendiente

Ron con cola
Gin-tonic
"Margarita"
"Destornillador"
"Tequila Sunrise"
"Bacardi Breezer"
"Singapore Sling"
"Piña colada"
"Ruso blanco"

COME Y VENCE A LAS ARRUGAS

Lo que te pones en la cara no es lo único que ayuda a evitar las arrugas, también cuenta lo que te metes en el cuerpo. No hay lociones y pociones que palíen los daños del tiempo si no comes los alimentos antienvejecimiento adecuados. Esto significa comer más antioxidantes: comidas ricas en productos naturales.

Los antioxidantes son importantes porque combaten los radicales libres, moléculas dañinas producidas como subproducto de las funciones corporales, que también provienen de la exposición a toxinas como el humo de tabaco, la luz UV o la contaminación. Los radicales libres **atacan a las células** del cuerpo y aceleran su envejecimiento. Los antioxidantes son el **arma secreta** para luchar contra ellos: llenarnos el cuerpo de antioxidantes con la comida puede ayudarnos a conservarnos jóvenes.

Se han realizado estudios para revelar qué alimentos contienen más antioxidantes, en especial los informes de la Tufts University (Boston). El resultado fue un sistema de puntuación llamado ORAC: cuantos más **antioxidantes** contiene un alimento, más puntos obtiene. Las frutas y verduras de color brillante tienden a obtener las mejores puntuaciones ORAC.

★ PISTA **Un truco para obtener la mezcla justa de antioxidantes es pensar en hacer un arco iris de frutas y verduras al comprar los ingredientes, incluyendo tantos colores como te sea posible.**

TOP TEN DE LAS COMIDAS ANTIENVEJECIMIENTO

Según los científicos, para lograr una óptima protección antienvejecimiento se deben consumir entre 3 000 y 5 000 unidades ORAC al día. Intenta incluir en tu dieta la mayoría de los alimentos citados abajo. Las puntuaciones son por cada 100 g.

1 **Ciruelas pasas** Puntos ORAC 5 770

2 **Uvas pasas** Puntos ORAC 2 830

3 **Arándanos** Puntos ORAC 2 400

4 **Fresas** Puntos ORAC 1 540

5 **Espinacas** Puntos ORAC 1 260

6 **Coles de Bruselas** Puntos ORAC 980

7 **Brécol** Puntos ORAC 890

8 **Remolacha** Puntos ORAC 840

9 **Aguacate** Puntos ORAC 782

10 **Naranjas** Puntos ORAC 750

Nuevos menús: haz tus comidas **antiedad**

Desayuno

Antes Un cuenco de cereales con leche entera, y una taza de café o de té.

Después Gachas de avena hechas con leche de soja, un puñado de arándanos y ciruelas pasas, y un vaso de naranjada fresca.

Comida

Antes Un emparedado de jamón y queso con pan blanco y una barrita de chocolate.

Después Queso fresco bajo en grasas con pimiento rojo, hojas de espinacas jóvenes y tomate sobre pan integral, y un yogur de fruta.

Cena

Antes Pasta blanca con salsa Carbonara, un vaso de vino blanco y una *mousse* de chocolate.

Después Pasta integral (de trigo integral) con salsa de tomate cocinada con chile, ajo y brécol, un vaso de vino tinto, y una ensalada de fruta fresca que contenga naranjas, fresas y kiwi.

QUÉ COMER Y CUÁNDO

Tanto si estás estresada, cansada o necesitada de energía para ir al gimnasio, lo que decidas comer puede determinar cómo te sientes y tu rendimiento. Aunque es fácil echar mano del remedio inmediato que ofrecen las comidas altas en grasas y azúcar, el consuelo que ofrecen será de corta duración y, a la larga, te sentirás peor. Sigue leyendo para averiguar qué debes comer para salir adelante.

TE SIENTES **ESTRESADA**

Cálmate con comidas reconfortantes ricas en almidón y vitamina B, que ayudan al sistema nervioso a funcionar bien. Los cereales integrales, el arroz, las patatas y los lácteos bajos en grasas son una buena opción.

Prueba Un cuenco de gachas de avena con rodajas de plátano encima **o** un huevo cocido con pan integral tostado.

EL **BAJÓN** DE POR LA TARDE

Elige comida rica en proteínas para obtener energía. Te dará mayor aguante que una barrita de chocolate o una bebida de cola, que sólo aportan un breve subidón energético seguido de un bajón brusco.

Prueba Un yogur bajo en grasas **o** un puñado de cacahuetes sin sal.

TIENES UN **DÍA IMPORTANTE** POR DELANTE

Las investigaciones de *Kellogg's* han demostrado que los niños que comen cereales para desayunar se concentran mejor en el colegio. Sigue sus pasos y tómate un gran cuenco de cereales para obtener energía de liberación lenta antes de salir de casa, y también algo que contenga un poco de cafeína para potenciar el efecto.

Prueba a tomar un cuenco de muesli con leche semidesnatada **o** una tacita de café con tu desayuno habitual.

Datos sobre el café

- **Estudios del *Journal of the American Medical Association* revelaron, tras un seguimiento a más de 15 000 finlandeses (los mayores bebedores de café del mundo), que las mujeres que beben 10 o más tazas de café al día tienen un 79% menos riesgo de desarrollar diabetes. En las que beben 3 ó 4 tazas la reducción es de un 29%.**
- **Beber café con regularidad puede ayudarte a potenciar tu energía cerebral, en especial si eres mujer, según un informe del *American Journal of Epidemiology*.**
- **Un estudio publicado en la revista *Chest* revela que, quien bebe 3 tazas de café al día corre un riesgo un 28% menor de sufrir un ataque de asma que los no "cafeteros".**

VAS A HACER **EJERCICIO**

No hagas comidas pesadas al menos dos horas antes de hacer ejercicio, o te sentirás pesada. Evita los dulces: un exceso de azúcar puede, de hecho, reducir tu nivel de energía. En su lugar, come alimentos que liberen lentamente la energía (como la pasta integral) o las proteínas bajas en grasa (como el pescado o las alubias blancas).

Prueba Una ensalada de pasta con atún, pimientos y alubias blancas **o** una manzana y un puñado de almendras.

DESPUÉS DE HABER HECHO EJERCICIO

Si has nadado, corrido o concluido cualquier otra forma de ejercicio, tendrás que reponer los líquidos y minerales perdidos. Las sopas y los zumos de fruta son perfectos para ello, como también las patatas, que con su alto contenido en agua te ayudan a rehidratarte.

Prueba con una sopa a base de patata con pan integral **o** un vaso de zumo fresco de naranja o manzana.

★PISTA **Usa bebidas "isotónicas" después de hacer ejercicio, ya que ayudan al cuerpo a reponer el glucógeno, el combustible que abastece a los músculos y aporta energía.**

MANTÉN TU DIETA ENCARRILADA

Y ahora, las malas noticias: las dietas milagro pueden ofrecerte una solución rápida, pero no funcionan a largo plazo. Sí, puedes perder peso al comienzo, pero a menudo son difíciles de seguir, caras y, aún más importante, pueden ser peligrosas. La realidad es que las dietas muy bajas en calorías (o que excluyen grandes grupos de alimentos) no aportan todos los **nutrientes** que el cuerpo necesita. Así, aunque pierdas unos kilos, tu salud puede salir perjudicada. Es más probable que consigas resultados duraderos siguiendo un **plan sensato.** Y si tu vida es ya muy agitada, te resultará más fácil aprender buenos hábitos nutricionales que seguir las reglas complicadas que desperdician el tiempo que, a menudo, implican las dietas de moda. He aquí unos trucos para potenciar tu motivación.

TELEFONEA A UNA AMIGA

Es más fácil seguir un programa dietético si tienes **compañía**. No te lances sola; búscate una amiga que te siga en tu lucha por adelgazar. Según un estudio sobre las dietas en solitario del *Western Human Nutrition Center*, en EE UU, quienes hacen dieta solos pierden menos peso y están más estresados que los que la hacen en grupo. Las mujeres tienen mas **éxito** en sus dietas si las hacen en compañía. Podéis celebrar vuestros éxitos con un día de compras o yendo al cine, y estar siempre disponibles para apoyaros mutuamente cuando las cosas se pongan difíciles.

★**PISTA** **Tu compañía debe ser alguien con una actitud positiva y que no se rinda con facilidad... no alguien que te ofrezca compartir un postre de chocolate.**

APRENDE A **CONTROLAR** TUS RACIONES

En las comidas, intenta llenar la mitad del plato con verduras, y la otra mitad combinando patatas (pasta o arroz) con carne magra (o pescado). Cuando comas fuera, **resístete a la tentación** de las raciones supergrandes.

MANTÉNTE **MOTIVADA**

Tras unas semanas de dieta, a menudo llega el tedio, pero tranquila... el truco es motivarse. Llama a una buena amiga que tenga una visión positiva sobre la vida y que te dé una charla para animarte. Esto te ayudará a seguir centrada en el objetivo de **ponerte en forma**. Prueba a hojear catálogos de ropa o ve a comprarte un bikini: imaginar lo fantásticamente que te quedará en cuanto hayas perdido unos kilos, te encauzará de nuevo.

CAMBIA DE HÁBITOS

Pásate a los métodos sanos de cocinar. Las mejores técnicas son las que no usan, (o casi no usan) grasa: hornea la comida, hazla al vapor o a la parrilla en vez de freírla, saltearla o asarla.

COME SÓLO SI TIENES **HAMBRE**

El mejor modo de adelgazar y mantener tu peso es que aprendas a comer sólo cuando tengas hambre. Muchos comemos como resultado del estrés, por hábito o por aburrimiento. Cuando sientas el **impulso de comer**, pregúntate si tienes hambre de verdad. Atiende a las necesidades de tu cuerpo, aunque hacerlo signifique hacer seis pequeñas comidas en vez de tres grandes al día.

CUIDADO CON LA INGESTA DE **ALCOHOL**

Es asombrosa la cantidad de gente que no reduce su ingesta de alcohol en las dietas, lo que añade gran cantidad de calorías. No es necesaria la abstinencia, pero sí **moderar la ingesta**. Consulta la página 137 para saber qué bebidas son las más "transgresoras" para el régimen.

PON FRENO A LOS **ESPASMOS DE HAMBRE**

Bebe muchos líquidos sin calorías como agua o tés de hierbas. A menudo, confundimos la sed con el hambre, así que intenta beber algo y verás si sigues sintiendo hambre. De modo similar, no confundas el **hambre** con el **apetito**. El hambre de verdad es cuando tienes el estómago vacío y poco azúcar en la sangre, mientras que el apetito es el deseo que sientes cuando, aunque has comido ya bastante, hueles algo apetitoso (como bollos calientes o pan fresco) y deseas comértelo.

MANTÉN UN **RECORDATORIO**

Busca una fotografía de tu aspecto antes de hacer dieta y ejercicio y pégala en la nevera. Ver lo bien que te ha ido hasta ahora debería ser un **incentivo** para seguir adelante.

CINCO TRUCOS

¿Sigue resultándote difícil seguir tu dieta? Prueba estos trucos para comer de un modo más sano.

MEJOR LA **CALIDAD** QUE LA CANTIDAD

Intenta servirte menos comida. Puede parecer obvio, pero pruebas obtenidas en la Universidad de Illinois en el año 2003 muestran que, si tenemos comida delante, seguimos comiendo aunque estemos llenos. Por la misma razón, todos tendemos a cocinar más comida de la necesaria. **Medir** las cantidades meticulosamente permitirá que no haya posibilidad de "repetir".

ELIGE ALIMENTOS QUE **MEJOREN** TU **ESTADO DE ÁNIMO**

La comida puede afectar a nuestras emociones. Alimentos como el chocolate y las bebidas de cola pueden tener efectos negativos sobre el ánimo porque aportan un breve **subidón de energía**, seguido de un bajón, y pueden inducir a un sentimiento de culpa. Otros alimentos **más sanos** pueden activar los compuestos cerebrales del "bienestar" y hacerte sentir más feliz y relajada. La avena, el ajo, los chiles, las nueces del Brasil y los plátanos son buenas opciones. Los grandes "estresantes" alimentarios a evitar son el azúcar, la cafeína, el alcohol y el chocolate.

COME ALIMENTOS RECONFORTANTES, PERO **SANOS**

No te preocupes si anhelas comidas más "sólidas" y reconfortantes en invierno. Puedes seguir una dieta sana optando por versiones bajas en grasa de recetas tradicionales. Por ejemplo, las patatas fritas al horno contienen menos grasas que las tradicionales. Intenta usar aceite de oliva para el puré de patatas en vez de mantequilla, y yogur en vez de nata en los postres. Recuerda que los alimentos como las alubias al horno y las gachas de avena son bajos en grasas pero te harán sentir llena y **satisfecha** cuando los comas.

ELIGE COMIDAS **DULCES**, PERO **NO GRASIENTAS**

Uno de los problemas de las galletas de chocolate y los bizcochos es que son elevados en grasas, además de azúcar. Ya que la grasa tiene el doble de calorías que el azúcar, es más sano un capricho dulce que uno graso.

SÁCIATE CON **SOPA**

La sopa es la comida perfecta. Es, por naturaleza, baja en grasas, nutritiva y muy saciante, en especial si te la tomas con un trozo de pan integral. Evita las sopas con nata añadida, ya que contienen más grasa. Prueba a hacer tu propia sopa partiendo de cero **-sopa de verduras** o **gazpacho-**. Es un modo estupendo de consumir tres o cuatro raciones de verdura.

PIENSA DELGADO

Hay gente así... es capaz de comer cualquier cosa sin engordar un gramo. Aunque las palabras "Tengo que ponerme a régimen" jamás hayan cruzado sus labios, no la desprecies mucho. Todo tiene que ver con la **actitud mental**. Mas adelante descubrirás algunos de los secretos de las mujeres naturalmente delgadas.

UN POCO DE LO QUE TE GUSTA

Cuando intentas perder peso, es más probable que tengas éxito si tu dieta es equilibrada y variada. No te prohíbas tus caprichos favoritos, como los **dulces y pasteles**, pero modera su consumo. Privarte de un determinado alimento puede llevarte a atiborrarte de él más adelante. La gente delgada por naturaleza tiende a disfrutar de pequeños **caprichos** sin hartarse de ellos.

TEN UN GRAN PRINCIPIO

Saltarse el desayuno no ayuda a perder peso. Según un estudio del profesor Kirk, catedrático de nutrición en la Queen Margaret University de Edimburgo (Escocia), desayunar puede, de hecho, ayudarte a **mantenerte delgada**, pues observó que la gente que tomaba un buen cuenco de cereales con leche semidesnatada por la mañana durante 12 semanas perdía 1 1/2 kg más que la que no lo hacía.

ELIGE LA FRUTA CON SENSATEZ

Cuando inicies una dieta, intenta no comer más de 2 porciones de fruta al día, o puedes consumir un exceso de azúcar y calorías sin darte cuenta. Las manzanas, las peras o las bayas son una buena elección, pero no los plátanos (tienen un índice glicémico elevado que puede causar un **bajón de energía** y de ánimo). Cuidado con los zumos de fruta.

SABOREA LA COMIDA

Nadie sabe con seguridad cuánto tarda el estómago en decirle al cerebro que estás llena, pero los dietistas estiman que, al menos, 10 minutos. Hazte un favor y come despacio. **Haz una pausa** entre bocado y bocado y mastícalo todo bien. Suelta el tenedor y el cuchillo entre bocados, y tómate tiempo para saborearlos bien. Te asombrará lo **deliciosas** que son algunas comidas en las que habitualmente ni te fijas si dedicas algo de tiempo a disfrutar de ellas.

PIENSA EN LO QUE COMES

La próxima vez que tengas hambre, no te metas para el cuerpo la primera barra de chocolate que encuentres. Pregúntate antes cómo hará que te sientas media hora después la comida que te apetece comer. ¿Te aportará energía o hará que te sientas abotargada y **culpable**? Piensa en una alternativa sana, en lo diferente que te hará sentir después, y luego decide.

CAMBIA TU **ENFOQUE**

Uno de los factores más importantes es la capacidad de creer que puedes ser una persona delgada: algo que los delgados dan por descontado. Si te ves gorda, te será difícil perder peso y mantenerte. Tendemos a vivir según nuestra **propia imagen**, piensa positivamente desde hoy.

ENTIENDE TU HAMBRE

La gente delgada come en función del hambre que siente así que, a la hora de comer o cenar, no se llenan el plato hasta los bordes sólo por tener la comida delante. Sin pensar siquiera en ello, **estiman cómo de hambrientos** están antes de empezar a comer. Además, si se siente llena/o a media comida, deja de comer.

★ **PISTA** **Un truco para que sintonices con tu cuerpo: la próxima vez que sientas espasmos de hambre, imagina que tienes una escala mental del 1 al 5. "1" significa que no tienes hambre, "5" que estás hambrienta. Calcula en qué punto de la escala estás antes de llevarte nada a la boca, y come sólo si te sientes en la "fase 4" de hambre.**

FICHAS DE DATOS: DIETAS

La abrumadora cantidad de dietas disponibles puede hacer casi imposible optar por una. Hay innumerables libros, vídeos y alimentos -muchos de ellos respaldados por **celebridades**- que cotejar. Y sí, a la larga es sin duda mejor adoptar hábitos alimentarios sensatos y sanos que seguir dietas **de moda**, pues a alguna gente una dieta fija le ayuda a empezar a adelgazar. Pero, ¿cuál de ellas escoger? Sigue leyendo para saber lo esencial de siete de las dietas más populares de hoy en día.

LA DIETA ATKINS

¿Qué es?

Una dieta rica en proteínas que restringe mucho la **ingesta de carbohidratos**. Al contrario que en la mayoría de las restantes dietas, el plan original no reducía las grasas, aunque hoy se aconseja reducir las grasas saturadas.

¿Qué se puede comer?

Carne rica en proteínas, pescado, huevos, **queso**, frutos secos, nata y mayonesa.

¿Qué **está prohibido?**

Durante dos semanas hay un límite diario de 20 g de carbohidratos que descarta la fruta, el pan, las semillas o la verduras **con almidón** (como las patatas).

¿Cómo **funciona?**

El fundador, el Dr Robert Atkins, creía que nuestro cuerpo produce demasiada insulina, dando lugar a un excedente de calorías que se acumulan en forma de grasa al comer carbohidratos. Se supone que una dieta muy **alta en proteínas** hace que el cuerpo queme grasa y no carbohidratos como combustible, haciéndonos adelgazar. Las proteínas son supresoras del apetito, y pueden quitar el hambre.

Veredicto

El jurado sigue indeciso. Pruebas recientes sugieren que la gente pierde peso rápidamente con esta dieta y hasta puede experimentar un descenso del colesterol; los efectos secundarios iniciales incluyen el estreñimiento y la halitosis. También hay preocupación sobre los posibles **riesgos** a largo plazo de esta dieta, en especial sobre la tensión a la que puede someter a los riñones y el corazón.

LA DIETA DE **SOUTH BEACH**

¿Qué es?

Desarrollada por el Dr. Arthur Agatston en 1999, esta dieta es hoy una **gran rival** de la popular dieta de Atkins. Como la de Atkins, se basa en la idea de que los carbohidratos engordan. No obstante, no los suprime tan implacablemente.

¿Qué se puede comer?

La Dieta South Beach divide los carbohidratos en "buenos" y "malos" y no es tan restrictiva como la de Atkins. Se pueden comer tantos **buenos carbohidratos**, verduras y granos integrales como se quiera.

¿Qué está prohibido?

Los carbohidratos "malos" (como pasteles, **galletas** y pan blanco) y las grasas "malas" (como las saturadas de la carne roja y los lácteos enteros).

¿Cómo funciona?

Se divide en tres fases pensadas para obtener un rápido **adelgazamiento** al principio, con una pérdida más regular después, hasta llegar al peso ideal.

Veredicto

En general, es una buena dieta. Mantiene sano el corazón y ayuda a reducir el colesterol "malo". Al parecer, registra el menor número de "abandonos" y favorece unos **patrones alimentarios** que pueden mantenerse a largo plazo.

LA DIETA **ZONE**

¿Qué **es**?

Creada por Barry Sears, la Dieta Zone pretende aportar un equilibrio perfecto de carbohidratos y proteínas para así regular los **niveles de azúcar en sangre** y controlar el peso.

¿Qué se puede **comer**?

La dieta Zone recomienda comer 12 "bloques zonales" al día: un bloque es una **mezcla equilibrada** de carbohidratos, proteínas y grasas. Cada "zona" (o mini comida), pesada con cuidado, debe contener muchas proteínas bajas en grasa, fruta y verdura.

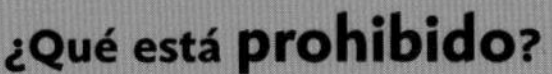

¿Qué está **prohibido**?

La dieta implica un menor consumo de carbohidratos como las patatas, el pan y la pasta.

¿Cómo **funciona**?

Sears cree que comer en bloques induce al cuerpo a quemar más grasa, y con ella, el exceso de peso. Comer **poco y a menudo**, y no tres grandes comidas, mantiene constantes los niveles de azúcar en sangre, evitando los bajones de energía que llevan a excederse. Además, comer poco con regularidad mantiene en marcha el **metabolismo** y se queman calorías con mayor eficacia.

Veredicto

Es muy baja en grasas y contiene abundantes verduras y frutas saludables, pero la falta de carbohidratos significa que es algo baja en fibra. No es fácil de seguir si estás muy ocupada, ya que **lleva tiempo** medir 12 minicomidas al día.

COMBINACIÓN DE ALIMENTOS

¿Qué es?

El Dr William Hay inventó el "Food Combining" -llamada también "Dieta Hay"- a principios del siglo XX, no como un método para adelgazar, sino para llevar una alimentación sana. Proponía no mezclar las proteínas y los carbohidratos en una misma comida. Creía que los dos **grupos de alimentos** "luchan" entre sí en el estómago, causando problemas digestivos, haciéndonos engordar y generando una "mala salud" en general.

¿Qué se puede comer?

Tanta fruta como se quiera durante el día. A la hora de comer, se pueden comer carbohidratos con verduras o proteínas con verduras.

¿Qué está prohibido?

Comer proteínas y carbohidratos en la misma comida, y el pan blanco, el arroz y la pasta, el azúcar y los aditivos artificiales.

¿Cómo funciona?

La combinación de alimentos no garantiza una pérdida de peso, pero es tan **baja en calorías** que lo perderás inevitablemente si la sigues correctamente.

Veredicto

Aunque nutritivamente no es mala, es una dieta con reglas muy estrictas, difícil de seguir, en especial si llevas una vida agitada: las **reglas** incluyen no comer jamás cosas como emparedados de queso o espaguetti con salsa boloñesa. Además, no hay **pruebas** científicas que respalden la idea de que el cuerpo no puede digerir proteínas y carbohidratos a la vez.

LA DIETA DEL **INDICE GLICÉMICO (IG)**

¿Qué es?

La dieta se basa en optar por carbohidratos de IG bajo. Esto significa que se se descomponen en azúcares muy despacio y tienen, pues, poco efecto en los niveles de azúcar en sangre, dejándote **más llena durante más tiempo** y con una menor tendencia a sufrir subidones y bajones de energía.

¿Qué se puede comer?

Cualquier alimento de IG bajo, incluyendo manzanas, alubias, avena y grano integral.

¿Qué está prohibido?

Los alimentos de IG elevado como **pan blanco**, pasta blanca, patatas, frutos secos y plátanos.

¿Cómo funciona?

Dado que los niveles de azúcar permanecen constantes, no te entra hambre y no acabas comiendo de más, y las comidas con un IG bajo tienden a ser **pobres en grasas**.

Veredicto

Es una dieta sensata, baja en calorías y grasas que parece funcionarle a mucha gente. Contiene abundante fruta y verdura y es muy rica en fibra, lo que la hace ideal para prevenir enfermedades cardíacas y ciertos cánceres. También es buena para mantener unos **niveles de energía** elevados.

DIETA MACROBIÓTICA

¿Qué es?

Es una estricta dieta, fundada por George Ohsawa en Japón en 1920, que implica comer productos orgánicos de cultivo local. El objetivo es un **equilibrio perfecto** entre alimentos "yin" y "yang" para tener buena salud.

¿Qué se puede comer?

Alrededor del 50% de la dieta se basa en **granos integrales** (como el arroz salvaje), y el resto se compone de verduras, alubias y tofu.

¿Qué está prohibido?

Es una dieta vegetariana: la carne, los huevos, los **lácteos**, el alcohol, la cafeína y las comidas preparadas quedan descartadas.

¿Cómo funciona?

Las comidas dulces son "yin" y las sabrosas "yang". Se supone que comer una cantidad equilibrada de ambas **armoniza** el cuerpo. No se pensó para adelgazar, pero sus recetas bajas en calorías no tardan en hacer que la gente pierda peso.

Veredicto

Es una dieta muy restrictiva y lleva mucho tiempo, ya que hay que dar vueltas para comprar los ingredientes orgánicos adecuados, y luego pasarse horas preparando cada comida. Además, pueden faltarte ciertas vitaminas minerales esenciales al **prescindir** de grupos enteros de alimentos, incluidos la carne y los lácteos.

DIETA DEL **GRUPO SANGUÍNEO**

¿Qué es?

Esta dieta se basa en la idea de que debes comer determinados tipos de alimentos según tu grupo sanguíneo. Su creador, Peter D'Adamo, afirma que ayuda a perder peso, aumenta la energía y **fortalece** el sistema inmunológico.

¿Qué se puede comer?

Quien pertenezca al **grupo O**, por ejemplo, puede comer cuanta carne quiera, pero pocos carbohidratos y lácteos. Los del **grupo A**, por su parte, pueden comer abundantes granos y pescados, pero han de "huir" de la carne roja. Los del **grupo B** pueden gozar de una gran variedad de comidas y una dieta muy variada es importante para ellos.

¿Qué está prohibido?

Todos los alimentos que no se ajusten a tu grupo sanguíneo, según las líneas maestras de D'Adamo.

¿Cómo funciona?

D'Adamo piensa que el grupo sanguíneo refleja nuestra **química** corporal, y cómo ésta descompone la comida. Por tanto, se supone que consumir alimentos adecuados para nuestro grupo sanguíneo activa nuestro metabolismo, por lo que quemamos más grasas y calorías.

Veredicto

No hay investigación científica alguna que avale que la capacidad de digerir diferentes alimentos tenga que ver con el grupo sanguíneo. Hay mucha gente del grupo O, a la que se recomienda seguir una dieta baja en hidratos de carbono y rica en proteínas. Si **pierdes peso** con esta dieta, se deba probablemente a que consumes menos calorías.

CAPÍTULO 3
MODA
CÓMO SER UNA ESTILOSA CHICA OCUPADA

El **definitivo** plan paso a paso para tener **organizado** y **dispuesto** tu guardarropa, convirtiéndote en el **icono *fashion*** que siempre supiste que eras.

Toda **chica ocupada** tiene que saber que siempre habrá algo **estiloso** en su armario que pueda llevar –ya sea para trabajar, para una **cita especial** o para un paseo por el parque– y, lo que es más, debe poder encontrarlo **rápidamente**. Para ello, tienes que idearte un armario asequible, con prendas que se adapten a cualquier **ocasión**, y además dominar las múltiples destrezas del estilo como comprar con cabeza, aprender a trasladar la pasarela a la calle, y elegir los zapatos correctos para crear la perfecta armonía entre el largo de la falda y el tacón.

Aprenderás a elegir las telas y cortes que favorezcan a tu figura, sea cual sea tu forma, y a dominar ese complicado equilibrio entre vestirte poco o demasiado. Con la ayuda de este capítulo, preguntas como "¿Qué cinturón debo ponerme para destacar mi cintura?" o "¿Qué pantalones **ocultarán mis glúteos** mientras estilizan mis muslos?" serán recuerdos del pasado. Y, gracias al cuestionario de estilo, serás capaz de identificar tu "estilo" personal y sacar el máximo partido de él. Al mismo tiempo, descubrirás cómo hacer una maleta para ahorrar preciosos minutos y espacio, ya sea para un **viaje *chic*** de fin de semana o para unas vacaciones tirada al sol en la playa, y cómo remediar cualquier **desastre relativo a la ropa** que te pueda surgir a lo largo del día.

LIMPIA LOS ARMARIOS

Al igual que la mayoría de las chicas ocupadas, probablemente tengas una inmensa cantidad de ropa. Sin embargo, un armario repleto y cajones tan abigarrados que casi no cierran no garantizan una colección de prendas ponibles y versátiles. Como todo el mundo, tendrás una colección de *tops* que ya no te caben, pantalones demasiado gastados, y un montón de ropa mal elegida que nunca ha salido de las perchas. Para optimizar tu ropa y convertirla en una colección ponible, primero tienes que hacer una limpieza general.

Saca todo del armario y ponlo sobre la cama. Echa un vistazo crítico a lo que hay allí. ¡Sé despiadada! Si algo no te favorece, si no te lo has puesto desde hace 2 años o es demasiado grande o demasiado pequeño, sepáralo para regalarlo a una organización benéfica. Haz lo mismo con los zapatos. Los que tengan agujeros o grietas, tíralos. Ahora comprométete con la **"regla de los 2 años":** si no te lo has puesto en 2 años, ya no lo echarás de menos.

Cuando hayas acabado, evalúa lo que te queda y toma nota de las ausencias más destacadas; por ejemplo, tienes un superávit de *tops* preciosos, pero andas escasa de faldas y pantalones. No te aferres a tus 15 pares de pantalones. Tira todos, excepto los que te **favorezcan más** y tengan largos diferentes para llevar con tacones y con zapatos planos. Si tienes las piernas cortas, haz que te suban el bajo para que parezcan que están hechos para ti.

¡Fiesta de intercambio de ropa!

Convence a algunas amigas para que limpien sus armarios al mismo tiempo, y luego organiza una fiesta. Reúne a todo el mundo y pasa una tarde divertidísima cotilleando e intercambiando ropa. Es barato, divertido y sociable, y darás "nueva vida" a los armarios de las demás.

LAS PRENDAS **BÁSICAS...**

La clave de un guardarropa *chic* y accesible es conocer unas normas básicas. Para ello, hazte con una colección de ropa muy bien pensada, con complementos **infalibles**. Cuando domines esto, los días de "¡No tengo nada que ponerme!" habrán acabado. No creas que un armario lleno de ropa **clásica** es aburrido, pues la mayoría de la gente estilosa suele llevar prendas clásicas y utilizar **complementos** inteligentes, como un *top* de vivos colores, un pañuelo o bisutería de moda para **renovar** su aspecto. Por tanto, adquiere algunas prendas clásicas que puedas combinar en cualquier ocasión y que te durarán más de una temporada.

LO QUE **NECESITAS**

Un **buen traje de chaqueta**

Merece la pena invertir dinero y tiempo en un buen traje de chaqueta clásico, que te durará varios años. Cuanto mejor sea la tela y el forro, más acertada será la inversión. Un buen traje puede ser la prenda más **ponible y versátil** que tengas, ya que lo lucirás junto o por separado con vaqueros o *tops*.

Un abrigo

Un buen abrigo de invierno es una de las prendas más importantes de tu armario, por tanto dedica tiempo a adquirir el adecuado. Lo llevarás durante los días de más frío, por lo que tiene que ser versátil. El negro **es un color garantizado**, que nunca pasa de moda y se puede llevar de día y de noche. Elige un buen abrigo de paño de líneas sencillas. No te sientas tentada a comprar el último corte o un abrigo con cuello chimenea, porque se pasará de moda al año siguiente. Decídete por uno de corte clásico y lo aprovecharás muchos años más.

El largo y el corte son muy importantes cuando elijas el **abrigo perfecto**. Un abrigo largo con una falda corta es un "atentado a la moda". Opta mejor por unos pantalones largos y tacones que estilicen tu figura. Evita los jerseis de angora o de mohair si tu abrigo es de lana: ¡parecerá que te has rebozado en la manta del perro!

Americana

Asegúrate de que tu armario incluya una excelente americana, ya sea de lana, pana o terciopelo. Es muy versátil y la **combinarás** con todo (desde vestidos, faldas o vaqueros) para tener un aspecto más informal.

Faldas

Una falda oscura por la rodilla es una prenda esencial. Una falda sencilla la puedes llevar con un *top* liso y ajustado o con una camisa durante el día, y luego lucirla con un *top* **sexy y brillante** para la noche (páginas 194-198: consejos sobre qué estilo de falda te va mejor según tu figura).

Vestidos

Un vestido negro corto es **un básico para las fiestas**. Elige uno que sea sencillo y de buen corte, que se pueda llevar por el día con una chaqueta, y con bisutería y zapatos de fiesta por la noche. En las páginas 213-214 encontrarás información esencial sobre esta socorrida prenda.

Pantalones

Todo guardarropa necesita, al menos, dos pares de pantalones elegantes y bien cortados que se puedan llevar en todas las ocasiones. Los pantalones entallados de pierna ancha suelen **favorecer a todas** y se pueden llevar con ropa formal o informal. También es buena idea tener dos pares de vaqueros clásicos (un par en un tono más oscuro para el invierno, y otro más claro para los meses de verano).

Tops

Las camisetas y camisas ajustadas en una gran variedad de colores son la base de cualquier guardarropa versátil. Para que mantengan la forma, elige telas con una pequeña cantidad de *lycra* (pero no demasiada, o tenderán a resaltar todas tus curvas). La clásica **blusa camisera** es el complemento perfecto para ir a trabajar, y también para vestir informalmente con vaqueros durante el fin de semana.

EN QUÉ GASTAR EL DINERO

"Compra siempre lo mejor" es un dicho ya pasado, que no se preocupa de las implicaciones financieras, pero que se aplica a ciertas prendas (aunque con otras, compensa comprar las más baratas).

GASTA **LO QUE PUEDAS** EN

- Abrigos
- Trajes de chaqueta
- Zapatos
- Bolsos

PUEDES **AHORRAR** EN

- Camisetas lisas
- Camisas
- Polos
- Vestidos y faldas de verano
- Fulares y cinturones

★ **PISTA** **¿No puedes permitirte comprarte toda la ropa que te gusta? Si sólo puedes comprarte dos prendas al mes, intenta comprarte una cara y otra más barata, pero divertida y actual. De esta forma, combinarás la adquisición de las prendas básicas de tu fantástico fondo de armario con estar a la última.**

LA ROPA INTERIOR

Es fácil pensar que podemos salir con ropa interior vieja y gastada porque **no se ve**, sobre todo si tienes prisa por las mañanas. Sin embargo, un sujetador o unas braguitas mal adaptadas pueden arruinar la forma y la línea del traje más caro. Por tanto, invierte en ropa interior buena que se ajuste a ti perfectamente. Potenciará al máximo tus curvas y también te ayudará a mejorar tu postura.

Acude a una buena lencería para que te digan la talla exacta de tu pecho. Según una encuesta reciente, un 60% de las mujeres lleva la talla incorrecta de sujetador. Cómprate varios sujetadores que se adapten a todas las formas de tus vestidos: un sujetador sin tirantes, uno que se abroche al cuello, y uno sin espalda sirven para casi todos los vestidos.

SEIS INDICIOS DE QUE TU SUJETADOR YA NO ES EL ADECUADO

1. No puedes esperar ni un minuto, y sólo deseas deshacerte de él cuando llegas a tu casa por la tarde: probablemente **no sea tu talla**.

2. Parece como si tuvieras cuatro pechos. Si tu sujetador es muy pequeño, saldrá lo que sobra por arriba, y arruinará la línea de tu ropa: necesitas **una talla mayor**.

3. Tu sujetador parece que da la vuelta a la espalda: es demasiado grande, y tu pecho **no tiene sujeción**.

4. El aro sale y se te clava en la carne: **¡tíralo!**

5. Te deja marcas en la clavícula; es **muy pequeño**, o los tirantes están muy ajustados.

6. Tienes **marcas rojas y doloridas** en los hombros al final del día: el sujetador ya no te sujeta lo suficiente.

Diez formas de asegurarte siempre de que tienes algo que ponerte

1 Deja las compras compulsivas.
2 Limpia tu armario.
3 Identifica un "tema" de armario.
4 Escoge 2 ó 3 colores que vayan bien con todo.
5 Mira qué es lo que falta en tu guardarropa.
6 Compra sólo aquello que combine con lo que ya tengas en el armario.
7 Ignora el consejo de comprar siempre lo mejor.
8 Compra más prendas lisas que estampadas, pues son más versátiles.
9 Intenta añadir sólo 2 ó 3 prendas bien pensadas al armario cada mes.
10 Evalúa constantemente tu armario y sé despiadada. Deshazte de la ropa que no te vaya bien, no importa lo mucho que te guste.

EL TRUCO DE LA BRAGUITA **INVISIBLE**

Resuelve el problema de tus braguitas con unas diferentes para cada conjunto. Estos cinco estilos te ayudarán a tener un aspecto acicalado y cómodo sin esfuerzo.

- Color carne, para conjuntos blancos o transparentes.
- Tangas "hilo dental", para prendas muy ceñidas.
- Braguitas de *lycra* (tipo *culottes),* para llevar con faldas.
- Tangas "brasileños", para vaqueros y pantalones bajos.

UN ARMARIO RÁPIDAMENTE ORGANIZADO

ACCESORIOS DEL **ARMARIO**

En primer lugar, compra perchas de madera de buena calidad y tira todas esas perchas de alambre que pueden estropear la ropa. **Agrupa** todos los pantalones, faldas, vestidos y chaquetas, para que sepas exactamente dónde mirar para encontrarlos. Tener a la vista todas tus prendas te servirá para empezar a ponerte toda la ropa, en lugar de coger siempre lo que tienes más a mano. Guarda los zapatos en sus cajas, para protegerlos, y escribe su color y forma en la tapa para que sepas lo que hay dentro sin tener que abrirlos. Las chicas ultraorganizadas ¡**hacen una foto** de cada par de zapatos y la pegan en la parte delantera de la caja!

BALDAS

Dobla tus jerseis y prendas de punto y disponlos en estanterías según el color y el grosor. De esta forma, conservarán la forma por más tiempo y te permitirá saber **de un vistazo** todo lo que tienes: coloca los tonos oscuros en la parte de abajo y los más claros arriba. Los jerseis de invierno recién lavados puedes guardarlos en bolsas de plástico durante los meses de verano. Las camisetas, pañuelos, chales y vaqueros también se pueden guardar de esta forma.

CAJONES

Los divisores de plástico son una compra excelente y te ayudarán a **organizarte**. Úsalos para separar tu ropa interior, calcetines y medias y así **acceder rápidamente** a ellos por las mañanas. Divide las secciones en ropa blanca, de color y negra. También puedes separar las medias negras de las azules y las marrones, para que no te equivoques de color por las mañanas. Si necesitas **más espacio,** compra cajas de cartón para aprovechar la parte inferior del armario: son perfectas para tener los cinturones, pañuelos o bolsos en orden.

★ PISTA **Compra algunas cajas herméticas de plástico en las que puedas guardar la ropa de otras temporadas. Te ayudarán a que la ropa no coja polvo o se vea atacada por las polillas cuando no se usa.**

Obligaciones diarias

Decreta que el montón de ropa de la silla pase a la historia. Desde esta misma noche...

1. **Separa la ropa limpia en el momento en que te cambias de conjunto.**
2. **Echa la ropa sucia en la cesta, separando la ropa blanca de la de color para facilitar la colada.**
3. **Dobla y guarda todo lo que te vayas a poner otra vez y cuelga las chaquetas, pantalones y americanas para que no tengas que volver a plancharlos.**

EL CUIDADO DE TU ROPA

Es estupendo comprar mucha ropa estilosa pero, a no ser que la cuides, no te durará más de una temporada. Cuélgala tan pronto como te la quites, lávala a la temperatura adecuada y retira las manchas tan pronto como aparezcan. De esta forma, te asegurarás de que tu ropa disfrutará de una larga vida y, más importante todavía, te ahorrará mucho tiempo cuando te vayas a arreglar por la mañana.

ALGODÓN

La fibra natural más común es el algodón. Es fresco y **cómodo** y se puede usar en verano y en invierno, pero encoge a temperaturas elevadas, por tanto asegúrate de que la lavas a un máximo de 50 °C. El algodón plancha muy bien, especialmente cuando está un poco húmedo. El lado negativo es que hay que plancharlo. El poliéster y las fibras **de mezcla de algodón** suelen ser más resistentes a las arrugas y, por tanto, ahorran tiempo al no necesitar tanta plancha, lo que las convierte en una excelente alternativa.

★ PISTA Lee siempre las etiquetas antes de lavar una prenda, pero ten presente que los fabricantes a veces dicen "sólo lavado en seco" en las prendas para eximirse de cualquier responsabilidad si se estropean al lavarse. Los abrigos de lana y los trajes de chaqueta deben lavarse en seco, pero tejidos como la seda y el cachemir pueden lavarse a mano en agua fría.

LINO

Es una de las fibras naturales más duraderas. Es muy **popular** en los pantalones y camisas veraniegas, ya que es un tejido que permite que la piel transpire y te mantiene fresca. Sin embargo, el lino es muy propenso a arrugarse, incluso recién planchado. Sigue siempre las **instrucciones de lavado** de la etiqueta, ya que algún tipo de lino se puede lavar a mano, mientras que otros admiten el lavado en lavadora a baja temperatura.

LANA

Tejido muy versátil, la lana puede ser fría o caliente, dependiendo del tipo. El cachemir (pelo de cabra mezclado, a veces, con lana) es uno de los **tejidos más ligeros, suaves (y caros)**, y se puede llevar en cualquier época. El cachemir y otros tejidos de punto similares deben lavarse a mano o en seco. Otros tipos de lana pueden lavarse en la lavadora con un programa delicado, pero lee siempre la etiqueta y nunca laves la lana a temperatura elevada, ya que encoge. Cuando la seques, nunca utilices la secadora. Deja que las prendas se sequen naturalmente. Como estas prendas se deforman si las cuelgas, lo mejor es enrollarlas en una toalla (para que **absorban el exceso de agua**), y después dejarlas secar en horizontal, manteniéndolas lejos del calor directo.

SEDA

La seda es uno de los tejidos más lujosos, pero necesita una limpieza profesional; por tanto, lee siempre la etiqueta antes de lavarla. Algún tipo de seda se puede lavar a mano en agua tibia con un detergente suave, pero otras sedas deben **lavarse en seco**. Si estás lavando seda a mano, asegúrate de añadir unas gotas de suavizante al aclarado final para evitar la electricidad estática. La seda seca muy rápido y no debe secarse en la secadora o situarse cerca del calor directo. Plánchala **con cuidado** (con la plancha de vapor a baja temperatura) colocando un paño sobre la prenda para protegerla.

TEJIDOS SINTÉTICOS

Algunos tejidos sintéticos se pueden lavar a altas temperaturas, pero siempre debes leer primero la etiqueta. Los acrílicos y el nailon pueden fundirse a temperaturas altas, y otras fibras pueden deteriorarse rápidamente.

★ PISTA **En lugar de lavar a mano las prendas delicadas con cuentas o lentejuelas (lo que significa escurrirlas... y posiblemente estropearlas), mételas en una funda de cojín cerrada, y lávalas con un programa frío.**

elle
elle

LA COLADA PERFECTA

LA LAVADORA

La primera regla del lavado en lavadora es asegurarte de que vacías todos los bolsillos: no hay nada peor que vaciar una lavadora de ropa oscura y encontrarte que todo está cubierto de la fina pelusilla blanca del pañuelo de papel que te has dejado en el vaquero. Además, da la vuelta a los vaqueros y pantalones para evitar que pierdan su color. Sigue tu sentido común y lava las prendas de colores vivos por separado, las oscuras juntas y las blancas también juntas. Si algo está cubierto de barro, lávalo por separado, así como cualquier tejido que suelte pelusa (como las toallas) para así evitar que se peguen a otros tejidos. Comprueba siempre las etiquetas de las prendas para asegurarte de que no excedes la temperatura máxima recomendada. Finalmente, procura no **cargar en exceso la máquina**: demasiadas prendas no significa que se lavarán bien y, además, la tensión de la carga puede acortar la vida de la lavadora. Si tienes prisa y no tienes tiempo para esperar a que la lavadora termine todo el ciclo, la mayoría de las lavadoras cuentan ahora con un ciclo rápido de lavado.

★**TRUCO** **Añade suavizante a la colada para que las prendas sean más fáciles de planchar y ahorrarás tiempo.**

LAVADO A **MANO**

Lavar a mano con agua templada o caliente es un error muy común. Para evitar dañar los tejidos delicados, usa siempre agua fría y nunca dejes mucho tiempo las prendas en remojo, o encogerán. Añade la cantidad recomendada de detergente para lavar a mano, y frota delicadamente la prenda. Aclara concienzudamente la prenda en agua fría y escurre el agua con cuidado **sin retorcer**, o enróllala en una toalla para retirar el exceso de humedad. Seca la prenda horizontalmente si es de lana. Para que seque antes, algunas máquinas disponen de un ciclo corto de centrifugado, que es estupendo para absorber la humedad de las prendas delicadas sin dañarlas.

SECADO

Cuando vacíes la máquina, sacude las prendas húmedas para alisarlas. Te ayudará **a ahorrar tiempo de plancha**. La secadora puede ser de ayuda cuando se trata de ahorrar tiempo y espacio, pero no la sobrecargues y seca siempre prendas similares. Sécalas lo suficiente para eliminar la humedad y las arrugas, pero con cuidado. Si las dejas demasiado tiempo, el calor puede fijar las arrugas, aumentar la estática y encogerlas. Cuelga la ropa tan pronto como la saques de la máquina para reducir el tiempo de plancha, y tiende las prendas que no se puedan secar en secadora para que sequen naturalmente. Las prendas no delicadas se secan muy bien sobre un radiador.

PLANCHA

Posiblemente sea la tarea más aburrida para los hombres. Intenta ahorrarte tiempo de plancha colgando todo nada más haya secado y, con un poco de suerte, ¡lo mismo ni necesita plancha! Si tienes que planchar, asegúrate de leer la **etiqueta** para ver la temperatura correcta para la prenda. No planches prendas que estén manchadas porque el calor puede fijar la mancha, con lo que resultará aún más difícil de eliminar. Las prendas delicadas deben plancharse por el revés o bajo un paño para así proteger el tejido.

UN DULCE **OLOR**

Las aguas aromatizadas (como el agua de lavanda) son una excelente forma de añadir un sutil olor a tu ropa. Échala en la plancha y utilízala para planchar al vapor, impregnando la ropa. También es una gran idea para **refrescar las prendas** que has guardado.

★ PISTA **Si escoges la ropa la noche anterior, ahorrarás tiempo y nervios la mañana siguiente. También evitará todas esas situaciones en las que te pruebas todo tu guardarropa sólo para elegir el primer conjunto que te has probado.**

Chequeo a la ropa

1. **Para evitar el pánico por la mañana, dedica 1 hora a la semana a planchar, a organizar la ropa seca y a coser los botones o dobladillos.**
2. **Dedica una tarde a la semana al lavado. Puede parecer aburrido, pero evitarás esa situación en la que descubres que el *top* que te quieres poner está sucio. Escucha música mientras lavas, o charla con una amiga con tu teléfono manos libres.**
3. **Comprueba si hay una lavandería en tu barrio. Puede resultarte más cómodo llevar la ropa y recogerla limpia al regreso del trabajo.**

¿CUÁL ES TU ESTILO PERSONAL?

Identificar el tipo de ropa que más te va te ayudará a crearte un *look* personal, que te ahorrará mucho tiempo cuando vayas de compras o estés lista para salir. Si no estás segura del tipo de *look* que quieres conseguir, contesta las siguientes preguntas.

P1 ¿CUÁL ES TU DÉCADA DE MODA FAVORITA?

A ¡2030!
B 1890
C 1940
D Ahora
E 1980

P2 LLEGAS A UNA FIESTA Y TE DAS CUENTA DE QUE ESTÁS EXCESIVAMENTE ARREGLADA. ¿CÓMO MANEJAS LA SITUACIÓN?

A Disfruto siendo el centro de atención e intento atraer todas las miradas.
B No me importa. Estoy acostumbrada a vestirme con prendas diferentes.
C Me quito la chaqueta y salgo disparada al baño para rebajar mi maquillaje y algunos complementos.
D Me voy de la fiesta lo antes posible.
E Me siento un poco intimidada pero, después de dos copas, lo olvido todo.

P3 TE HAN INVITADO A COMER, ¿A DÓNDE PREFIERES IR?

A Al restaurante más de moda.
B A un pequeño y romántico italiano.
C A tu restaurante favorito, donde la comida siempre es fantástica.
D A algún sitio donde puedas disfrutar de una comida sana, como un restaurante japonés.
E A algún sitio caro, donde puedas ir "de punta en blanco".

P4 TE VAS A REUNIR CON UNAS AMIGAS. ¿QUÉ ROPA TE PONES?

A Llevaré una chaqueta cómoda y los zapatos que compré en una *boutique* la semana pasada.

B Llevaré mi *top* de cuentas favorito con una bonita falda estampada de flores.

C Llevaré algo clásico y sencillo, como una camisa blanca, una chaqueta azul marino y unos vaqueros.

D Llevaré algo cómodo. ¡No tengo que presumir con mis amigas!

E Llevaré un conjunto sexy. Nunca sabes a quién puedes conocer...

P5 ¿QUÉ TIPO DE MÚSICA TE GUSTA ESCUCHAR?

A Escucho todo lo nuevo en la radio. Así sé lo que está más de moda.

B *Jazz* o música clásica son mis estilos favoritos.

C Escucho la música de mis artistas favoritos y compro todos sus CDs.

D Cualquier cosa que sea rápida y con ritmo.

E Todo lo que sea lento y sexy.

P6 ¿CUÁL ES TU PRENDA FAVORITA?

A Una chaqueta de última tendencia.

B Una blusa *vintage*.

C Un jersey de cachemir.

D Un chándal cómodo.

E Un vestido negro muy sexy.

P7 ¿CUÁL ES TU TEJIDO FAVORITO?

A El vaquero.
B Los encajes.
C El cachemir.
D La felpa.
E La seda.

P8 ¿QUÉ PALABRAS DESCRIBEN MEJOR EL TIPO DE ROPA QUE MÁS TE GUSTA?

A Atrevida, creativa y de vanguardia.
B Femenina, suave y vaporosa.
C Ajustada, sencilla y elegante.
D Fácil, cómoda e informal.
E *Chic*, sexy y seductora.

PREDOMINIO DE A: LA VISIONARIA DE LAS MODAS

Para ti es importante estar siempre vestida "a la última moda", y tu ejemplar de *Vogue* nunca está muy lejos de ti. Te gusta **experimentar** con maquillajes y cambiar el estilo y el color del pelo, pero cuando observas que un estilo lo lleva ya todo el mundo, lo abandonas inmediatamente. Estás pendiente **de las pasarelas** y buscas lo más inusual en la moda para crear ese estilo tuyo tan personal, sacando ideas de diferentes partes del mundo para así conseguir tu *look* tan particular.

Cómo evitar convertirte en una *fashion victim*

- Asegúrate de que no estás gastando mucho dinero en modas pasajeras echando un vistazo a las cinco últimas prendas que te has comprado. Si tres o más no se pueden catalogar como imprescindibles de la temporada, corres el peligro de ser una *fashion victim*.
- Antes de comprar, pregúntate si realmente deseas esa prenda y si podrás llevarla el año siguiente.
- Nunca mezcles más de dos tendencias diferentes.
- Recuerda que las modelos y artistas suelen mostrarse exageradas para conseguir un mayor impacto en la foto, pero seguro que no visten así en su rutina diaria.

PREDOMINO DE B: LA **BOHEMIA**

Adoras la ropa y los adornos *vintage* y te pasas horas en tiendas de segunda mano y rastros buscando prendas únicas y maravillosamente hechas. Prefieres la **ropa sensual** y suelta. Para ti, el tacto y el color de la tela es tan importante como la forma. No sigues la moda y no estás interesada en las últimas tendencias. Eres muy creativa, pero un poco soñadora.

Cómo evitar parecer anclada en el pasado

- Intenta incorporar algunas prendas modernas en tu armario.
- Busca poner toques modernos en las ropas clásicas, como blusas con mangas estilo victoriano.
- Busca imitaciones de joyería *vintage*: cuestan mucho menos, pero parecen auténticas.

PREDOMINIO DE C: UNA **LECCIÓN DE CLASE**

Tu estilo es un estudio de equilibrio y armonía, mostrando al mundo que posees un sutil conocimiento sobre el arte de vestirte bien. Estás **al día** en últimas tendencias, pero no las sigues servilmente, lo que te aleja de las demás. El estilo lo consigues con los detalles de un traje. Tu estilo sugiere **sencillez y elegancia**, combinadas con la intemporalidad, y refleja perfectamente tu gran sentido de la oportunidad. Llevar el pelo inmaculadamente arreglado y estar maquillada es muy importante para ti.

Cómo impedir que tu guardarropa se vuelva aburrido

- Las chicas clásicas suelen elegir colores neutros, que están muy bien, pero el color es muy importante para añadir *glamour* y fuerza (si sabes cómo usarlo).
- Elige unos cuantos artículos nuevos, como *tops* y complementos, para inyectar algo de color a tu *look*.
- No te alejes demasiado de tu estilo, ya que posees un innato instinto natural que se adapta perfectamente a ti.

PREDOMINIO DE D: LA **CHICA DEPORTISTA**

Te encanta el aire libre y pasas mucho tiempo haciendo ejercicio. El estilo no es lo que más te preocupa, aunque te gusta comprar ropa deportiva de **buena calidad** para presumir de ese cuerpo tan a tono que has conseguido tras tantos esfuerzos. Prefieres la ropa sin estilo determinado y que te dé libertad de movimientos. El pelo y el maquillaje son sencillos y fáciles de mantener.

Cómo **verte deportiva** sin perder **estilo**

- Lleva la ropa planchada y en buen estado.
- Elige prendas coordinadas y combínalas con una chaqueta.
- Las viseras aportan un *look* deportivo a muchas prendas informales, pero con estilo.

PREDOMINIO DE E: LA **SIRENA SEXY**

La ropa es una forma de expresar tu sexualidad y de transmitir tu personalidad magnética. El *glamour* es lo primero y dedicas horas a prepararte, incluso para una copa tranquila. Nunca sales sin maquillar y te gusta la ropa para lucir tu cuerpo: no te preocupa llevar pantaloncitos cortos o vestidos minifalderos. **Los tacones de aguja** son imprescindibles, y tu armario está lleno de ellos.

Cómo evitar **pasarte al estilo "vamp"**

- Lleva ropa interior de color carne con vestidos blancos o con algo que pueda transparentar: la ropa interior que se ve nunca es sexy.
- Si tienes pechos grandes, no lleves pendientes largos que lleguen hasta las clavículas: es de muy mal gusto.
- Presume de pechos, piernas o nalgas, pero ¡sólo de una parte del cuerpo cada vez!

★ **PISTA** **Sea cual sea tu estilo, no pierdas tiempo ni dinero, y recuerda las tres palabras que has elegido en el test para resumir el tipo de ropa que más te gusta. Si has marcado "femenina, suave y vaporosa", sé sincera y pregúntate si esa prenda se ajusta a esa descripción. Aunque no todo lo que compres tiene que tener el mismo estilo, te dará una visión más objetiva cuando te preguntes: "¿Realmente esto me va a mí?".**

LOS MEJORES CONSEJOS PARA COMPRAR

Ahora que ya has vaciado tu armario y tienes una mejor idea de tu **estilo personal**, es el momento de... ¡asaltar las tiendas! Aprenderás a rellenar los huecos de tu "colección de prendas", mientras evitas caer en esos impulsos compradores.

SACA EL MÁXIMO PARTIDO DE TU SALIDA DE COMPRAS

- **Revisa** tu guardarropa antes de ir a comprar para saber exactamente qué es lo que ya tienes.
- Conserva **recortes de revistas**. Cada vez que veas un *top* o una falda que te gusten en una revista, recórtalos y guárdalos en el bolso para darte ideas.
- Haz una **lista** de todo lo que necesitas, ya sea un abrigo, unas botas negras o un *top* que combine con esa falda que nunca te pones.
- **Fija tu precio**. Tienes que marcarte un presupuesto, ser firme y no sobrepasarlo. Si sabes que no puedes controlarte, lleva dinero en efectivo y deja todas tus tarjetas de crédito en casa.
- **Establece prioridades**. ¿Cuál es la compra más importante que quieres hacer? Si no estás a gusto hasta que no vuelves a casa con el abrigo perfecto, no te distraigas con otras prendas hasta que lo encuentres.
- **Llévalo contigo**. Si no encuentras el conjunto perfecto para tu falda favorita, o ninguno de los botones de ese *top* coordina con ella, llévala contigo. Tu objetivo será ahora **¡encontrar su pareja ideal!**
- Haz una lista de tiendas **"imprescindibles"**. Saber exactamente dónde quieres ir te impedirá perder tiempo y energía en tiendas "de medio pelo".

- Ponte la ropa **adecuada** cuando vayas de tiendas, prendas cómodas, fáciles de quitar y de poner, y **ropa interior** sencilla, pero que sujete, para que así no estropees el aspecto de la ropa que te vayas a probar. Arréglate el pelo y el maquillaje para que te veas absolutamente radiante.
- Vete sola o con una buena amiga. Si realmente necesitas una **segunda opinión**, siempre puedes probarte la ropa en casa y preguntar a alguien más. Asegúrate de que la tienda acepta cambios.
- Resérvate **mucho tiempo**. Ir de compras cuando vas apurada o estás pensando en otras cosas es mala idea. Acabarás comprando a todo correr cualquier cosa, que te disgustará cuando llegues a casa. Si vas a comprar con una amiga después de una comida, bebe sólo agua mineral: ¡no te imaginas las desastrosas compras que se pueden hacer tras un par de copas de vino!
- No compres cuando estés deprimida, pues comprarás **ropa que no te gusta** o serás excesivamente crítica contigo misma, lo que te hará sentirte peor. Vete mejor al cine o a comer con una amiga.
- Hazte estas 3 preguntas antes de comprar algo: **¿Me vale?** ¿Me combina con algo? ¿Me va bien?
- Echa un ojo a las **instrucciones de lavado**: ¿Te sigue pareciendo tan increíble después de ver que la/lo tienes que lavar a mano o en seco después de cada puesta?
- Si encuentras un par de pantalones o una falda que te van perfectamente, piensa en comprar más de un par, sobre todo si son negros. El negro tiende a perder color, pero con **dos pares** de los mismos pantalones tardarás más en desgastarlos.
- Acuérdate de los **espejos "adelgazantes"** de las tiendas y *boutiques*. Si un estilo no te iba bien antes, tampoco te irá bien ahora (a no ser que cambies de dieta y de régimen de ejercicios).

REBAJAS BUENAS Y RÁPIDAS

O COMPRAR ROPA DOS VECES MÁS ESTILOSA EN LA MITAD DE TIEMPO

Es un mito que tengas que rebuscar por las tiendas para conseguir las mejores compras en rebajas. Ahora sabrás cómo conseguir un verdadero chollo, y no perder el tiempo y el dinero en prendas que no quieres.

1

Ten claro lo que estás buscando. Sólo es un chollo si realmente lo necesitas.

2

Compra sólo prendas de tu talla y que te **vayan perfectamente**. La excepción a esta regla son los pantalones o faldas que haya que subirles el bajo.

3

Busca comodidad. Todo lo que no te haga sentir cómoda cuando lo pruebas, te lo hará pasar fatal al final del día.

4

Busca lo clásico. Esa minifalda naranja y azul puede estar de moda ahora, pero ¿cómo se verá al **año siguiente**? Es mejor que busques prendas sencillas e intemporales.

5

Si no te puedes ver llevándolo/a al menos en **tres ocasiones diferentes** (a no ser que sea un chándal o un vestido de boda), no lo compres.

6

No compres nada en las rebajas que no hubieras **comprado antes**.

Coordinación de colores

¿Te has parado a pensar en qué colores son los que realmente te van? Sólo porque el turquesa sea tu color favorito, no significa que te favorece cuando lo llevas. Una forma rápida y fácil de saber cuáles son "tus colores" es tomar una selección de *tops* de diferentes colores en una tienda y probarlos uno tras otro. Los que iluminen tu cara y tu piel son los colores que debes seleccionar para tu guardarropa.

VÍSTETE DE ACUERDO CON TU CUERPO

Si tienes que estar lista en un santiamén, no querrás perder tiempo buscando el conjunto adecuado en tu armario. Sigue los siguientes consejos para vestirte según la forma de tu cuerpo. Así, evitarás pasar horas probándote todo por las mañanas, y estarás segura de que has comprado la ropa en función de lo que más te va y de lo que más te favorece. Hay cuatro tipos de cuerpos; por tanto, fíjate en el que más se aproxime al tuyo para ver lo que más te va.

MANZANA

CARACTERÍSTICAS PRINCIPALES

- Tiendes a acumular grasa alrededor del estómago.
- Tienes una cintura, espalda y busto anchos.
- Tus nalgas son pequeñas y planas.
- Tus hombros parecen más anchos que las caderas.
- La cintura es de un ancho similar a las caderas.
- Los muslos suelen ser delgados, y apenas hay exceso de peso.

MEJORES OPCIONES PARA TU CUERPO

- Prueba chaquetas sueltas sobre vestidos ajustados.
- Para que tu figura se vea más delgada, intenta llevar ropa de un solo color.
- Acentúa tus caderas estrechas con sexys faldas tubo.
- Elige pantalones bien cortados, de piernas rectas, para enfatizar la delgadez de tus piernas.
- Lleva pantalones cortos con las piernas al aire, o medias de color carne para atraer la atención sobre tus piernas.

EVITA

- Blusas o chaquetas ajustadas, pues sólo atraerán la atención sobre tu parte superior, más ancha.
- Jerseis o cárdigans de lana gruesa (por el mismo motivo).

PERA

CARACTERÍSTICAS PRINCIPALES

- Sueles acumular grasa en los glúteos y caderas.
- Tienes una cintura muy marcada y unos glúteos grandes y redondos.
- Las caderas son más anchas que los hombros.
- Tu busto es bastante pequeño.
- El estómago es blando.
- Tus muslos suelen ser gruesos.

MEJORES OPCIONES PARA TU CUERPO

- Ponte cinturones que acentúen tu cintura, pero no los aprietes demasiado o resaltarás tus caderas.
- Elige *tops* atractivos que alejen la atención de tu parte inferior.
- Compra pantalones de corte ancho para equilibrar tus muslos más gruesos.
- Busca chaquetas y blusas entalladas que tapen tus glúteos.
- Elige bisutería y pañuelos atractivos que alejen la atención de tus caderas.

EVITA

- Pantalones pitillo y faltas tubo, porque agrandarás tus caderas.
- Faldas y vestidos muy cortos, ya que harán más anchas tus caderas y tus piernas más cortas.
- Cualquier ropa que sea muy ajustada: si eliges la talla siguiente, parecerás más delgada y nadie sabrá qué talla estás llevando.

RELOJ DE ARENA

CARACTERÍSTICAS PRINCIPALES

- Tu cuerpo acumula grasa por igual.
- Las caderas y los hombros son de ancho similar.
- Eres muy curvilínea.
- Tu cintura es estrecha y bien formada.
- Tu estómago es plano y tonificado.
- Las caderas pueden verse anchas.

MEJORES OPCIONES PARA TU CUERPO

- Saca partido a tu figura sexy con ropa ajustada.
- Compra ropa que acentúe tu cintura estrecha.
- Elige cinturones finos en lugar de anchos para así definir aún más tu cintura.
- Invierte en ropa interior de calidad para marcar más tu busto y tus glúteos.
- Compra vestidos de cóctel años 40 y 50 para sacar más partido a tu figura.

EVITA

- Faldas muy cortas porque agrandarán tus glúteos.
- La ropa suelta y sin forma, que oculta tus curvas y te hace parecer más gruesa de lo que eres.

ATLÉTICA

CARACTERÍSTICAS PRINCIPALES

- El ancho de tu busto y tus caderas es similar.
- Tu busto es bastante pequeño.
- No tienes cintura.
- Tu figura carece de curvas.
- Tus glúteos son pequeños y planos.
- Tus piernas son largas y delgadas.

MEJORES OPCIONES PARA TU CUERPO

- Añade definición a tu cintura con un cinturón llamativo, ya sea grueso o fino.
- Para ser más elegante, vístete con ropa de un solo color.
- Busca collares y pendientes llamativos para atraer la atención hacia tu fino cuello y hombros.
- Elige telas suaves y vaporosas que suavicen tu figura para añadir un "toque femenino".
- Busca formas que acentúen tu cintura, como pantalones fruncidos o vestidos con cinturón.

EVITA

- La ropa con hombros cuadrados o grandes: destacará tu falta de forma.
- Los trajes muy armados, que pueden hacerte ver sin forma.
- Los pantalones muy anchos, pues remarcarán tu falta de curvas.

VERTE MÁS DELGADA

Nadie es totalmente feliz con su cuerpo, por tanto, cuando es de fundamental importancia parecer (y sentirte) 5 kg más delgada, éstos son algunos trucos ópticos "reductores".

EN CASO DE UN BUSTO ABUNDANTE

Un cuello vuelto sin mangas **aleja la atención** de un cuerpo con mucho pecho, resaltando así los brazos. De igual forma, un jersey muy corto atraerá la atención de la cintura. Lleva siempre un buen sujetador que levante el pecho.

SI TIENES LAS PIERNAS GRUESAS

Los pantalones y faldas amplios con una **pequeña abertura lateral** van muy bien. Lleva pantalones y faldas holgados más que muy ajustados: todo lo que parezca ajustarse en las costuras te hará parecer más gruesa.

SI TIENES CADERAS ANCHAS

Elige faldas de **línea A** y colores lisos. Evita las telas brillantes satinadas o las faldas y pantalones de colores fuertes, que destacarán tus cartucheras.

SI TIENES LOS TOBILLOS GRUESOS

No lleves tacones con tiras ya que a atraerán la atención a los tobillos. Evita también las **bailarinas** o zapatos atados al tobillo que acortan la pierna y engrosan el tobillo.

EN CASO DE UNOS GLÚTEOS GRANDES

Una chaqueta larga que oculte las caderas te dará seguridad para llevar un **vestido ajustado** o unos vaqueros ceñidos. Evita los tangas "hilo dental", ya que acentuarán los glúteos, y decántate por braguitas altas, con bastante *lycra*, para levantar las nalgas y evitar que se vean caídas.

Cómo escoger el **mejor bikini**

Tomar el sol en la playa es lo más cerca de quitarnos la ropa en público, por tanto no debe asombrarnos que resulte siempre un poco desalentador. No importa lo **saludable o en forma** que estemos, algunas partes de tu cuerpo te pueden preocupar. Sigue esta guía para asegurarte que eliges el biquini adecuado para tu forma.

★ **Cuello corto**
Elige escotes profundos, pero evita los cuellos Halter ya que atraerán la atención sobre el problema.

★ **Hombros estrechos**
Elige partes de arriba de tipo banda, que harán que tus hombros parezcan más anchos.

★ **Hombros anchos**
Los cuellos Halter son la mejor solución para alejar la miradas de unos hombros anchos.

★ **Pecho grande**
Elige una prenda que te sujete muy bien, para evitar que el pecho parezca caído.

★ **Pecho plano**
Opta por copas con algo de relleno para levantar el pecho.

★ **Cuerpo corto**
Elige rayas verticales que te ayudarán a alargar el cuerpo.

★ **Vientre prominente**
Cubre un gran vientre con pantaloncitos o con un bañador para un mayor control.

★ **Caderas anchas**
Elige bikinis con muchos detalles en la parte de arriba para alejar la vista de la parte inferior.

★ **Muslos gruesos**
Lleva un pareo sobre el bikini o elige braguitas de pierna larga, tipo pantaloncitos.

★ **Glúteos grandes**
Elige un bikini de color claro para conseguir un efecto reductor.

★ **Piernas cortas**
Elige un bikini de corte alto para añadir longitud a tus piernas.

★ PISTA **Lleva siempre un *sarong* o pareo para tus paseos por la playa. Se puede usar para tapar un montón de defectos y es una prenda de máxima moda. Enróllalo en tu cuerpo y átalo detrás del cuello para crear un sencillo vestido con el que puedes llegar a la playa.**

CÓMO USAR ROPA PARA PARECER DELGADA

SÍ Lleva estampados con fondos oscuros para crear una ilusión óptica de delgadez.

SÍ Lleva un solo color de la cabeza a los pies: puedes obtener un efecto espectacularmente adelgazante.

SÍ Lleva conjuntos en lugar de vestidos. Cuantas más líneas haya, menos atención se prestará a cualquier bulto corporal.

SÍ Lleva vestidos de línea imperio. Tienen cinturas altas, que te favorecerán y adelgazarán tu cuerpo desde el pecho hacia abajo. Son los más adecuados para ocultar zonas como unas caderas y unos glúteos grandes.

NO Lleves prendas plisadas. ¡Añaden kilos!

NO Lleves marrón o azul marino pensando que tienen el mismo efecto adelgazante que el negro, pues no es así.

NO Lleves *lycra* u otras telas que se ajustan al cuerpo. ¡Lo ponen todo en evidencia!

★ PISTA Ten mucho cuidado con las telas, ya que crean ilusiones ópticas. El punto principal que hay que recordar es que los estampados pequeños harán que una chica grande parezca más grande, y que los estampados grandes empequeñecerán a una chica pequeña.

CÓMO USAR ROPA PARA PARECER MÁS ALTA

SÍ Busca un traje de falda o pantalón de un solo color para crear una línea larga y limpia.

SÍ Elige vestidos que sean sencillos y clásicos, evitando los detalles recargados.

SÍ Lleva el mismo tono en zapatos, medias, falda y chaqueta. Alargará la silueta y te hará parecer más alta.

NO Lleves zapatos con tacones demasiado altos o te verás desproporcionada.

NO Te pongas detalles infantiles. Los volantes o lazos te harán parecer más bajita.

CÓMO USAR ROPA PARA PARECER MÁS BAJITA

SÍ Elige chaquetas cruzadas. Son muy favorecedoras y te ayudarán a equilibrar unas proporciones extremas.

SÍ Opta por complementos grandes para que todo esté proporcionado.

NO Lleves nada que sea demasiado corto. Las chaquetas deben caer debajo de las caderas.

NO Lleves zapatos totalmente planos. Un pequeño tacón creará un mejor equilibrio.

NO Lleves ropa que sea demasiado seria. Un conjunto oscuro, de un solo color y muy estructurado, puede aparecer excesivamente masculino. Rompe la línea con telas suaves y con caída en tonos más claros.

QUÉ LLEVAR

La clave del estilo es saber qué llevar y cuándo. Para ello, tienes que conseguir que tu armario trabaje para ti. Esto significa hacerlo **flexible** y asegurarte de que tienes algo para **cada ocasión**. La palabra clave aquí es *oportunidad*. Sin embargo, aunque tengas que vestirte para el fin de semana, para una entrevista de trabajo o para la boda de tu mejor amiga, tienes que seguir unas ciertas normas para lucir lo mejor posible.

PARA TRABAJAR

Llevar la ropa adecuada para trabajar te puede ayudar a progresar profesionalmente, mientras que los conjuntos inapropiados pueden conseguir que te olvides de un **ascenso**. Pero no todo es tan sencillo: lo que llevas depende de dónde trabajas. Estos son algunos consejos para impresionar en la oficina.

TU PRIMER TRABAJO

Cuando vas a una entrevista, fíjate en lo que llevan los otros empleados. Al comenzar a trabajar, es importante que destaques por **los motivos obvios**: es decir, por tu trabajo y no por tu extravagante sentido a la hora de vestir. Es correcto llevar un traje chaqueta o, si quieres un aspecto menos formal, lleva unos pantalones de buen corte y un *top* con un color que le vaya a tu tono de piel. Vístete para el **trabajo que quieres,** no para el que tienes. Aunque sólo estés trabajando de becaria, una imagen cuidada te ayudará a ascender rápidamente.

EN EL **DISTRITO FINANCIERO**

Los colores oscuros te dan un aspecto más profesional que los claros. Por tanto, elige colores neutros pero ***chic***. Un traje de chaqueta bien cortado es perfecto para trabajar en este entorno tan competitivo. Busca camisas ajustadas, pero de cortes excelentes, y **telas lujosas** (pero dentro de la "profesionalidad").

TRABAJO CREATIVO

Si te dedicas a lo creativo, un despliegue de colores o una chaqueta o *top* actualísimos emitirá las señales correctas y destacarás. Tienes que demostrar tu creatividad y cuidar los **detalles** mientras sigues pareciendo profesional, por tanto elige prendas que vayan con tu personalidad, como un reloj **original**, un anillo llamativo o un bolso extravagante. Añade un toque de máxima actualidad con un corte de pelo o una manicura enloquecida.

DOTES DE MANDO

Si tu trabajo consiste en mandar, tu guardarropa debe ir perfectamente "a tono". Piensa en prendas **sofisticadas** más que en última moda, y evita estilos que sean aniñados o cursis. Gasta más en zapatos y bolsos para completar tu **pulcro** *look*. Si pasas gran parte del día sentada, elige telas que incorporen un poco de *lycra* para evitar las arrugas, y así nunca tendrás un aspecto descuidado.

Pecados relativos a la moda que hay que evitar en el trabajo

- ★ **Faldas demasiado cortas.**
- ★ ***Tops* con demasiado escote.**
- ★ ***Tops* cortos que enseñan el estómago.**
- ★ **Zapatos o deportivas sucias.**
- ★ **Ropa a la que le falta plancha.**
- ★ **Prendas con manchas.**

A UNA **BODA**

Todas lo hemos hecho, o conocemos a alguien que lo ha hecho... estoy hablando de llevar algo inconveniente a una boda. Puede ser un vestido muy corto o con un escote vertiginoso, que te hará sentirte incómoda y **fuera de lugar** durante todo el día. Éstos son algunos consejos para estar perfecta.

No intentes **eclipsar a la novia**. No lleves nada blanco, sólo piensa en cómo te sentirías si alguien hiciera lo mismo en tu boda.

Piensa en el tiempo. Si se va a celebrar en el gélido febrero por la mañana, no salgas con un vaporoso modelo de chifón. De igual forma, a mediados de agosto, acabarás congestionada con un traje de chaqueta.

Piensa en el **calzado**. Si la boda va a durar todo el día, lleva zapatos cómodos aptos para aguantar todo el día.

Si es una boda **al mediodía**, elige un traje que valga para todo el día. Por ejemplo, un sensual vestido debajo de una elegante chaqueta, que luego te podrás quitar.

Evita los colores muy pálidos si hay barra libre implicada. No dejes que las mancha de vino o de comida te arruinen la fiesta. Mejor lleva colores fuertes que se puedan limpiar con facilidad.

PARA HACER EJERCICIO

A la hora de hacer ejercicio, todo es mucho más divertido si sabes que también estás guapa. El problema es cómo mantener la ilusión de **parecer tranquila** y relajada cuando estás quemando calorías y tonificando tus músculos. Las **telas cómodas y suaves** son imprescindibles para no perder el estilo. Elige prendas **amplias** que te permitan moverte con libertad. Tienes que poder estirarte en yoga y moverte con soltura y ligereza en tus clases de combate corporal, por tanto elige prendas que te den movilidad y que no restrinjan los movimientos.

Para verte bien, el color y el estilo son tan importantes como la tela. Si te compras una o dos prendas deportivas sexys, añadirás otra importante motivación para ir al gimnasio. El negro es un color muy popular, porque siempre sienta bien y oculta el sudor. Añade un poco de variedad con los azules, rojos y rosas. Si estás pensando en hacer ejercicio al aire libre, échate encima mucha ropa que irás quitándote a medida que entras en calor.

PARA SALIR

DESCIFRA EL CÓDIGO DEL VESTIR

Si te invitan a una fiesta por la noche, debes tener presente estos términos: su lectura atenta debería evitar que te sientas **abochornada** por tu ropa. Si sigues sin estar segura, sigue los consejos siguientes para comprender la jerga del vestir.

VESTIRSE ELEGANTE

Significa que deberías hacer un esfuerzo, pero sin parecer anticuada. Un par de pantalones entallados y sexys con un *top* **clásico**, o un vestido especial. Lo único prohibido son los vaqueros.

VESTIRSE DE **ROSA**

No te agobies. Sólo porque la fiesta vaya de rosa, no significa que tengas que ir de la cabeza a los pies de ese color. Es más *fashion* acudir a la fiesta "rosa" con una prenda rosa, como una falda. También puedes llevar únicamente **las uñas pintadas de rosa**, o un cinturón rosa.

VESTIRSE **ARREGLADA**

Esto no significa que tengas que ir disfrazada. Básicamente significa que te **esfuerces un poco**. Puede ser tan sutil como llevar unos tacones altos, o un *top* y unos pantalones con algún complemento llamativo. No lleves el mismo conjunto que llevarías para tomar copas en un *pub*.

VESTIRSE DE **CÓCTEL**

Es el momento de lucir tu vestido negro favorito, o de cualquier otro color que te chifle. Si has echado el ojo a ese vestido especial desde hace tiempo y no tenías ninguna ocasión **especial** para llevarlo, ahora es el momento de comprarlo. Si odias los vestidos, unos pantalones de vestir negros con tacones altos y un ***top glamouroso*** será suficiente, sobre todo si lo acompañas de una rutilante bisutería.

VESTIRSE **PARA IMPRESIONAR**

Si te gusta la ropa llamativa, ahora es el momento perfecto. Piensa en la alfombra roja de los estrenos cinematográficos y prepárate para **atraer todas las miradas**. Unos *stiletos* son imprescindibles, así como un pelo y un maquillaje perfectos. La atención a los detalles es la clave para vestirte e impresionar.

EN UNA PRIMERA CITA

Puede ser un poco lioso saber qué llevar en esa primera cita tan importante. Quieres causar una buena impresión sin excesos. Si quieres impactarlo, elige algo sexy que acentúe tus rasgos favoritos, como un cuello con un profundo escote en V, o una falta abierta que muestre un poco piernas al caminar. Busca algo que ya hayas **probado y contrastado**, algo con lo que te hayas sentido cómoda llevándolo a cenar con tus amigos. Merece la pena probar la prenda la noche antes. Camina por tu casa y siéntate, pronto sabrás si te vas a sentir cómoda con ella. Los tacones son una forma estupenda de **añadir un toque seductor**, pero nunca lleves zapatos nuevos o te morirás de dolor al final de la noche. Finalmente... un último consejo: si todo el mundo te dice que te sienta genial un color determinado, ¡llévalo!

Prepárate para invitaciones especiales

Pregúntate: ¿Qué llevaría si me invitan

... a una boda este fin de semana?

... a una fiesta esta noche?

... a una entrevista de trabajo la próxima semana?

... a una cita mañana por la noche?

Ahora asegúrate de que tienes una prenda acorde a cada una de esas ocasiones. Si no es así, tu próximo objetivo de compras es hacerte con lo que te falta. Hazte esta prueba cada 3 meses, desde ahora mismo, no importa lo ocupada que estés, y siempre tendrás algo que llevar en caso de que surjan invitaciones de última hora.

DE LA OFICINA A LA FIESTA
CON BUEN ASPECTO

LO QUE NECESITAS HACER ESA MAÑANA

Lávate el pelo en cuanto te levantes y aplícate loción corporal para que tu piel esté suave para la tarde. Para evitar tener que llevar otro conjunto, ponte algo que puedas adornar con algunos complementos bien elegidos. Vete a trabajar con un ***top* brillante** debajo del traje y lleva medias finas para cambiarte las que has llevado al trabajo. Recuerda: lo que le va bien por la noche a las chicas (escotes vertiginosos y kilómetros de pierna a la vista) probablemente no es lo mejor para el trabajo (por tanto, no intentes impresionar a tu jefe).

PROBLEMAS Y SOLUCIONES

Problema

No tienes sitio para llevar un par de zapatos de fiesta al trabajo, pero no puedes estar todo el día sobre los tacones de aguja.

Solución

Prueba unas plantillas que puedes comprar en las farmacias. Darán forma y estabilizarán tus pies, evitando el dolor de pies y de espalda y permitiéndote **¡bailar toda la noche!** Están diseñadas para impedir que tu peso oscile, mejorando tu postura (y para te veas más delgada, por si fuera poco...).

Problema

Bultos corporales no deseados.

Solución

Una buena sujeción interior es imprescindible si quieres tener buen aspecto dentro de tu ropa de fiesta. Compra un ***body*** **de cuerpo entero** que te favorezca, dé forma a tus caderas y levante tu pecho.

Problema

Uñas mordidas.

Solución

Una manicura de emergencia. Las uñas pintadas te darán un aspecto cuidado al instante, pero tardan en secar. Utiliza **esmaltes rápidos** para pintártelas mientras estás sentada delante del ordenador. La mayoría se seca en 1 minuto (por tanto, no hay peligro de que se estropeen).

Problema

Pantorrillas gruesas.

Solución

Vaselina. Si no llevas medias y te preocupa que tus piernas se vean muy gruesas, extiende vaselina o **aceite para niños** a lo largo del centro de tu espinilla y pantorrilla. Capturarán la luz y ayudará a crear la "**ilusión** de delgadez".

Consejos para la **fiesta de Navidad**

- ★ Lleva un abrigo largo y abrigado para cubrirte hasta que llegues a la fiesta. Te protegerá del frío y te ayudará a impresionar cuando te lo quites. También lo agradecerás cuando estés esperando un taxi para que te lleve a casa al final de la noche.
- ★ Lleva un bolso dorado o plateado, y sandalias haciendo juego: añadirán *glamour* al instante (incluso al vestido más corriente).
- ★ Lleva zapatos con los que puedas caminar y bailar. Lo agradecerás, sobre todo a medianoche.
- ★ Evita todo lo que te haga estar pendiente de la ropa, como una falda que tengas que bajar cada rato, o un *top* sin tirantes que tengas que estar subiéndolo: no te podrás relajar y se te verá muy incómoda.
- ★ No lleves joyas que tengas miedo a perder. Las fiestas de Navidad no son precisamente tranquilas, y la pérdida de alguna herencia familiar te arruinará con seguridad la noche.

EL SOCORRIDO **VESTIDO NEGRO**

Un vestido negro de buen corte siempre es el mejor amigo de las chicas ocupadas. Es sexy y, como todos los clásicos, siempre se puede reinventar. Nada da un aspecto más desnudo a la piel que el negro, de ahí que se considere la **elección sensual** por excelencia para las mujeres. Merece la pena invertir en un vestido bueno. Elige la forma que más **favorezca** a tu figura. Por ejemplo, no lleves tirantes ultrafinos si odias tus brazos, y evita la *lycra* si tienes algo de tripa.

Una de las mayores ventajas del vestido negro es la cantidad ingente de estilos que puedes encontrar en las tiendas; por tanto, sea cual sea la tendencia actual, tu presupuesto o tus gustos, siempre encontrarás algo que te vaya.

CINCO FORMAS DE **LLEVAR TU VESTIDO**

1. Si es llamativo, deja que el vestido haga todo el trabajo. No mezcles un excelente corte con demasiados adornos.

2. Busca los **zapatos** que le vayan. Como regla general, zapatos planos, tacones pequeños o botas altas para el día (y **lúcelo** con altísimos tacones por la noche).

3. Si es liso y sencillo, **decóralo** con complementos llamativos (como un cinturón original o un pañuelo de vivos colores).

4. Engalánate con fantástica bisutería. Unos espléndidos pendientes o un collar **soberbio** pueden transformar el vestido más sencillo en una prenda realmente especial.

5. **Dedícale siempre** tiempo a tu pelo y a tu maquillaje cuando lleves un vestido negro para potenciar su impacto.

CINCO FORMAS DE **NO LLEVAR** TU VESTIDO NEGRO

No lleves más de dos prendas negras en un conjunto. Elige bolsos o zapatos en colores **más vivos**.

Nunca lleves el vestido negro con medias. Las **piernas** desnudas, recién depiladas y bronceadas, son **más sexys**.

Evita que se te vean los **tirantes del sujetador**. Arruinarán la forma de tu vestido.

No cedas y compres un vestido negro de corte corriente o barato.

No lleves braguitas blancas sueltas debajo de tu vestido. No te sentirás sexy si no lo estás en tu interior. Por tanto, lleva siempre **ropa interior negra y ajustada**.

Un armario a oscuras

Clásico y estiloso, el negro constituye la base de la mayoría de los guardarropas, y se puede alegrar con colores más vivos. No te preocupes si tienes mucha ropa negra en tu armario. Es (y siempre lo será) el más estiloso de los colores.

Debes tener negro

- ★ **Abrigo de invierno**
- ★ **Un jersey de cuello tipo polo**
- ★ **Pantalones elegantes**
- ★ **Falda por la rodilla**
- ★ **Botas**
- ★ **Zapatos de salón**
- ★ **El socorrido vestido negro**

BUSCAR LOS VAQUEROS PERFECTOS

Un buen par de vaqueros es otro de los imprescindibles. Pero el pantalón adecuado probablemente sea la **prenda más difícil de encontrar** de tu armario. Merece la pena dedicar algo de tiempo para averiguar qué estilo le va a tu figura antes de salir a comprarlos.

SI TIENES...

Piernas cortas

Los estilos amplios, con muchos cortes, abombados, con vueltas o muy anchos te acortarán las piernas aún más. Busca un pantalón **largo hasta el suelo**, y llévalos con tacones para añadirte unos cuantos centímetros más.

Piernas largas

Puedes usar casi **cualquier forma y estilo**. Presume de piernas con vaqueros rectos y estrechos, y enrolla el bajo en verano para darle un toque más informal. Busca las versiones extra largas de los vaqueros estándar que ahora comercializan muchos fabricantes.

Espalda larga

Evita vaqueros de talle bajo porque alargarán aún más tu espalda. Lleva vaqueros con un *top* que llegue justo a las caderas para que tu cuerpo parezca más corto.

¿Altos o bajos de cadera?

Los vaqueros han estado **bajando sus caderas** en los últimos años pero, a no ser que estés muy delgada y con un vientre totalmente plano, es mejor comprar unos vaqueros con una cintura media-alta.

Caderas anchas

Los vaqueros ligeramente más anchos en la parte de los glúteos **equilibran** el problema de unas caderas anchas. Con cadera baja también alargan el cuerpo.

Muslos gruesos

Elige vaqueros oscuros que **disfrazan** las curvas, y evita los vaqueros con efecto "lavado", ya que sólo resaltarán tus muslos. Compra vaqueros de hombre, que son más generosos alrededor del muslo.

Glúteos grandes

Evita el corte de piernas recto, que acentúan unos glúteos grandes y **elige cortes sueltos** (más amplios desde las rodillas).

¿Cómo llevar tus vaqueros?

No vayas siempre vestida como una vaquera del Far-West. Éstos son algunos trucos para adaptar tus vaqueros favoritos a todas las ocasiones.

- **¿No soportas deshacerte de tus vaqueros, pero tienes una comida de negocios? Lleva los vaqueros con tacones y una chaqueta negra (o azul), con una camisa blanca para darles un estilo más informal.**
- **Los vaqueros con el bajo subido y sandalias y una túnica suelta de algodón es el conjunto perfecto para los días de verano.**
- **Si llevas vaqueros con tacones, el truco es asegurarte de que el dobladillo tapa justo los tacones.**

CINCO PISTAS PARA UNA GRAN COMPRA DE VAQUEROS, SEA CUAL SEA TU ESTILO

Elige uno que te vaya bien

No compres vaqueros sólo porque la talla de la etiqueta aparentemente es la tuya; las tallas y cortes varían dependiendo del fabricante. Comienza con tu talla normal y no dudes en elegir **una talla más** si no te encuentras bien. Lo ideal son los vaqueros cómodos que te van bien (independientemente de la talla).

Cuanto más oscuros, mejor

A no ser que seas muy delgada, no compres vaqueros muy claros o lavados a la piedra. Los vaqueros oscuros **te harán parecer más delgada** y van con todo. También son más elegantes.

Compra la versión larga

Cuando vayas a comprar, lleva unos zapatos con tacón que sean similares a los que vas a llevar con vaqueros. Ten en cuenta que los vaqueros pueden **encoger**, por lo que es mejor dejarlos un poco más largos. Incluso los vaqueros elásticos encogerán la primera vez que los laves; por tanto, si los compras largos, lávalos siempre antes de ponértelos.

Elige el "corte bota"

Aléjate de los pantalones acampanados que añaden volumen. Los vaqueros con corte bota tienen el ancho adecuado para que sean **estilosos** y tus piernas parecerán más largas.

5

Pruébate la **última moda**

Si te mueres por comprarte un par de vaqueros de cadera baja, pruébatelos, pero asegúrate de que son cómodos y de que no **muestras kilos de carne** cuando te inclinas.

Conservar los vaqueros en forma

La mayoría de los especialistas en vaqueros aconsejan lavar los vaqueros solos. Lavarlos con frecuencia puede desgastar el color y el tejido; por tanto, lávalos sólo cuando sea realmente necesario: el vaquero es una tela muy resistente que no se ensucia ni huele mal fácilmente. Sin embargo, si no puedes resistirlo, lávalos en agua fría y dales la vuelta. La mejor forma de conservar vivos los colores índigo es lavarlos en agua fría con una gota de detergente y secarlos dentro de casa (y no en el tendedero, donde puede darles el sol y decolorarlos). Plancha los vaqueros al revés para evitar las marcas brillantes.

★ PISTA Echa un vistazo a los programas informáticos que los que disponen algunas tiendas (y en Internet) para ver cómo te sientan los diferentes estilos y cortes de vaqueros con tu tipo. En las versiones *web* sólo tienes que escribir tus medidas.

EL PERFECTO ARMARIO DE VACACIONES

¿Quién no ha llenado una maleta de ropa al irse de vacaciones y ha traído la mitad de la ropa sin poner? Para evitar esto, tienes que aprender a llevarte sólo la ropa que necesitas, pero la suficiente para que estés estupenda cada día de tus vacaciones.

Comienza siempre haciendo una lista específica antes de hacer la maleta. Ahorrarás tiempo, y te ayudará para que no te olvides de nada, o metas pilas de prendas innecesarias. **Haz una lista de todo**, desde el champú a la ropa interior, y piensa en términos de conjuntos (intentando coordinar todo en la maleta).

LAS PRENDAS BÁSICAS DE VACACIONES

Una semana en el mar

Si vas de vacaciones a la playa, a algún lugar caluroso, comienza con tus bañadores, ya que los llevarás casi todo el tiempo. Lleva un bañador y dos bikinis en colores atrevidos, y unos **pareos** que combinen con ellos, *tops* y túnicas para transformarlos en conjuntos. Lleva un par de sandalias de playa y un par de sandalias más elegantes para la tarde, así como las imprescindibles viseras y un sombrero para el sol. Finalmente, guarda un conjunto **versátil** (como unos pantalones de lino y una camisa de algodón de manga larga) que puedas llevar para ir de compras y para visitar museos o edificios con aire acondicionado.

Un fin de semana en el campo

Si es invierno, lleva un par de pantalones y un par de vaqueros, con dos jerseis gruesos y dos camisas de tarde. Para los pies serán suficientes un par de cómodas botas para caminar y un par de zapatos de vestir.

Si es verano, lleva un par de pantalones de algodón con una camiseta y un jersey ligero, y algún *top* más elegante para la tarde. También incluye un **vestido de verano** (que sea lo suficientemente versátil para llevarlo día y noche) y sandalias (una plana con la que puedas caminar, y otra con tacones altos para salir de noche).

Un paseo de dos días por la ciudad

Piensa en Audrey Hepburn en París: *chic* y estilosa… y no te alejarás mucho. Lleva un par de pantalones con un jersey de día y un *top* elegante para **vestirte** por la noche. Para el segundo día, incluye un vestido sencillo con zapatos planos, y unos zapatos de tacón y joyería clásica para transformarlo en un conjunto sexy para noche.

Trucos para la maleta

Si tienes poco espacio, enrolla la ropa en lugar de doblarla. Es sorprendente lo pequeña que se hace y, por tanto, lo mucho que te va a caber en la maleta. También te ahorra tiempo de plancha cuando llegues a tu destino.

QUÉ **CLASE DE MALETA** LLEVAR

Una maleta adecuada te ahorrará **tiempo y molestias** en el aeropuerto. Echa un vistazo a los consejos.

La **línea** dura

Si la ropa tiene que **verse elegante** en el destino, o llevas objetos frágiles, una maleta dura es la respuesta. Si doblas con cuidado las prendas entre hojas de papel manila, no necesitarás plancharlas cuando deshagas la maleta. Elige una con ruedas para evitarte dolores de cuello y espalda.

Y una **blanda**

Si eres una madre ocupada, que sale el fin de semana con un bebé "a remolque", una gran maleta blanda es lo que necesitas. Su tejido la hace perfecta para que sea aplastada en el maletero del coche, y además es **ligera y duradera**. No la uses para llevar algo que se pueda romper, o ropa que sea delicada. Para evitar las arrugas en la ropa elige prendas (como jerseis o cárdigans) de tejidos como el *Tactel*.

El práctico ***trolley***

Si vas a estar fuera una semana y eres lo suficientemente disciplinada al hacer la maleta, un *trolley* es la forma más **relajada** de viajar. Asegúrate de que el tamaño y el peso son acordes con las normas de la compañía aérea (que pueden diferir de una a otra) para así evitar el incordio de tener que volver a facturarla.

Equipaje de mano

Debería evitarse todo lo posible. Un pequeño bolso (con tu pasaporte y monedero) debería ser suficiente. Los bolsos pesados sólo son incómodos y dificultan el viaje.

ZAPATOS A LA VISTA

Unos buenos zapatos son esenciales. Pueden **mejorar o estropear** un conjunto, y contar con los zapatos perfectos para cada conjunto te ahorrará muchas horas de angustia. Recuerda, sin embargo, que no todos son favorecedores... por tanto, mira qué estilo te va más.

TIPOS DE ZAPATO

Sandalias de tiras

Perfectas para verano, son excelentes para estilizar las piernas y más favorecedoras para los tobillos anchos que las cerradas.

Atados al tobillo

Mejor evitarlos, salvo que tengas unas piernas largas y delgadas, ya que acortan y hacen más gruesas las piernas.

De talón abierto

Es la forma más favorecedora; puede llevarla todo el mundo y aumentará la elegancia del conjunto.

Tacones altos

Son excelentes para alargar las piernas y dar forma a los tobillos y pantorrillas. Sin embargo, si eres bajita, no los compres de más de 5 cm (o parecerá que te tambaleas).

Mules

Resultan perfectos para los días de verano, ya que van genial con pantalones y faldas; un tacón medio se adapta a todas las formas y tamaños.

Descubiertos a los lados

Estos zapatos tienen la punta y el talón cubiertos, pero van "desnudos" en el medio. Están a medio camino entre las sandalias y los zapatos, y sientan muy bien a casi todo el mundo.

Zapatos cerrados

Si odias las sandalias, pero quieres lucir *glamourosa*, son la respuesta. Añádeles bastante tacón y te harán sentirte "vestida" y sexy.

COLOR

Unos cuantos zapatos de colores neutros en tu armario siempre son útiles, pero olvida la regla de que los zapatos tienen que ser negros o combinar con el bolso. **Para combinar colores,** tus zapatos no deben ser muy claros u oscuros en relación al conjunto. Prueba a combinarlos con uno de los colores menos dominantes de la ropa, ya sea un toque de color del estampado de la falda, o incluso una cuenta de tus pendientes. Si tu conjunto es de un solo color, no combines tus zapatos exactamente o parecerás una dama de novia. Elige tonos diferentes del mismo color. Te favorecerá más si el zapato es algo más oscuro que el conjunto.

Con un color alegre transformarás al momento un conjunto de día en uno de tarde o añadirás un toque de estilo a un vestido de seda. Arriésgate. Si te ves sosa, haz una locura de color. Por ejemplo, lleva zapatos rojos con un conjunto rosa. Pero cuidado, **debes estar muy segura de ti**. Además, los pies pueden parecer más grandes en colores vivos, por tanto opta por los neutros si odias la talla de tus pies.

GUÍA DE LA COMODIDAD

Recuerda estos puntos al comprar zapatos:

- Cuando más grueso sea el tacón, más cómodos y estables se sentirán los pies.
- Los tacones altos empujan tu peso hacia delante a la planta del pie (por tanto, mira si está bien almohadillada).
- Con zapatos cerrados, asegúrate de que puedes mover los dedos. Si no es así, están muy apretados y podrán cortarte la circulación.
- Para tener una mejor idea de si te van bien, prueba los zapatos al final de un día de compras, cuando tus pies están más cansados y más hinchados.

Estas botas están hechas para caminar

Las botas de caña alta son la última moda y puede llevarlas todo el mundo. Son geniales bajo los vaqueros, con faldas (largas o cortas) y con vestidos; invierte en unas buenas botas de calidad y te durarán y durarán.

SAL SIEMPRE **CON EL PIE DERECHO**

¡Seis pasos en falso que debes evitar!

1. Tu conjunto es muy oscuro pero **los zapatos son claros** y viceversa.

2. Llevar **sandalias abiertas** con las uñas de los pies rotas o descuidadas. Si vas a mostrar los pies, hazte la pedicura y píntate las uñas la noche anterior.

3. Llevar **zapatos gastados o sucios**. Arruinarán totalmente tu *look*.

4. Esperar hasta el último minuto para ponerle tacón a los zapatos. Lo más probable es que **dañes el zapato permanentemente** al raspar la suela de cuero.

5. Llevar **medias con sandalias**. La mayoría de los expertos afirman que no hay nada peor; por tanto, depílate y aplícate un autobronceador la noche antes.

6. **Piernas desnudas en invierno**. Mostrar las piernas desnudas y blancas es feo y, para el trabajo, poco profesional (por tanto, invierte en medias "divertidas" y originales).

El cuidado **del calzado**

- ★ **Reúne un sencillo kit de limpieza de calzado que contenga betún para cada color de zapatos que tengas, un *spray* protector para el ante y el nobuk, y un cepillo para el ante.**
- ★ **Limpia y abrillanta cada zapato una vez al mes para asegurarte de que están perfectos cada vez que los necesites. Al mismo tiempo, comprueba si hay que cambiar las tapas o las suelas.**
- ★ **Elige una zapatería que esté al lado de una tintorería (podrás hacer las dos tareas al tiempo).**

APROVECHAR AL MÁXIMO LOS COMPLEMENTOS

Tu cajón de complementos es tu "as bajo la manga" para actualizar tu *look* o **transformar** un conjunto soso. Llénalo con cinturones, pañuelos y bisutería barata y compra unos cuantos cada temporada para que tu *look* siempre esté a la última. También deberías asegurarte de contar con una colección de bolsos para cada ocasión. El truco es tener muchos complementos que puedan transformar tu aspecto en un segundo, creando un máximo impacto. Así es como puedes añadir ***glamour*** y estilo sin pasarte.

- Asegúrate de que los complementos están a tu **escala**: los enormes pueden acortar a las bajitas, mientras que los diminutos y delicados pueden agigantar a las altas.
- Combina cinturones y pendientes extravagantes con conjuntos sencillos.
- Usa los complementos para atraer la **atención** a la parte del cuerpo que quieres destacar, como tus ojos o cintura.
- ¿Tienes poco dinero? Antes de comprar un nuevo conjunto para una ocasión especial, mira si alguno de tus favoritos se puede **vestir** con nuevos y atrevidos complementos.
- No te pases con los complementos. **Para un máximo efecto,** usa 1 ó 2 cada vez.
- Invierte en unas cuentas ***pashminas*** de seda y lana de un color: quedan mejor sobre los trajes de tarde (tanto en invierno como en verano) que una chaqueta.

DIEZ FORMAS DE TRANSFORMAR UN ***LOOK*** EN SEGUNDOS

Lleva un *top* brillante debajo de un traje

Incluso la ropa de trabajo más sosa se puede transformar en un conjunto para ir a bailar por la noche cuando lo combinas con una **brillante camisola** o un cuello Halter.

Cuéntame

Si añades una **hilera de cuentas** animarás el conjunto más apagado. Compra algunos complementos con cuentas o lentejuelas, como bolsos, cinturones o collares, y consérvalos en tu cajón de trabajo para dar alegría al conjunto si tienes que salir después del trabajo.

Lo falso también vale

Los diamantes añaden un *glamour* instantáneo, pero si no puedes permitirte los auténticos, **la bisutería** es igual de espectacular. Sujétate el pelo con una horquilla de brillantes o clava un broche en tu camisa.

Envuélvete en uno

Un hermoso chal o *pashmina* añade sofisticación al instante. Los estilos bordados de chifón resultan perfectos para los vestidos sencillos sin tirantes, mientras que **el punto grueso** anima a unos vaqueros y botas.

Elige el bolso perfecto

La elección es infinita, pero el ante es perfecto para el día mientras que los tejidos **oro o plata** añade un toque *chic* para la noche.

Unos zapatos de tacón para renovarte

Llévalos con todo, con los pantalones o con los socorridos **vestidos negros.**

Combina pendientes llamativos con recogidos

El pelo recogido con pendientes cambiará el aspecto de un conjunto. Los pendientes de aro y los ***vintage*** combinan con la mayoría de la ropa y proporcionan un interesente punto focal a un *look* que, de otra forma, sería aburrido.

Ponte un sombrero

Nada atrae tanto la atención como un sombrero. Tienes que tener seguridad para llevar uno (por tanto, elige **formas clásicas** para que te resulte fácil quitártelo).

Las gafas perfectas

Un par de gafas de sol grandes te darán un aire de **estrella de cine** y te verás mucho más estilosa (incluso cuando las llevas sobre la cabeza).

Ponte una chaqueta

Convertirá unos sencillos pantalones negros en elegantes, y añadirá clase a una **sencilla camisa blanca.**

Mezclar oro y plata

Las normas de la joyería afirman que el oro y la plata nunca deben llevarse juntos, pero esto ha cambiado en los últimos años. Si te gusta el *look* más clásico y tradicional, es mejor que los separes, pero si estás intentando crear algo un poco más "trendy", mezcla los metales sin problemas.

¡NECESITO AYUDA!

Incluso los más estilosos cometen errores de cuando en cuando. Te explicamos cómo evitar los peores.

TU ROPA ES DEMASIADO ESTRECHA

Todas hemos caído en una talla menor de la que realmente tenemos. Decir "tengo una 38" nos hace sentirnos delgadas, cuando en realidad con una 40 estaríamos más cómodas. Sin embargo, no hay nada que te haga **parecer más gruesa** que la ropa demasiado justa. Lleva siempre tu "verdadera" talla: nadie sabrá en realidad cuál es.

TU ROPA ES DEMASIADO SUELTA

Otro error muy común es llevar ropa floja para ocultar el exceso de peso, pero ¡cuidado! este sistema **añadirá más kilos**. En lugar de tapar todo, acentuará tus puntos más cruciales y mostrará tus curvas. Los *tops* y los pantalones ajustados son mucho más **favorecedores** que los vestidos tipo "tienda de campaña".

ESTÁS MEZCLANDO MUCHOS ESTILOS

No cometas el error de intentar llevar todo lo que está de moda de una sola vez, pues corres el riesgo de parecer **ridícula**, y mostrarás que te has "esforzado" demasiado.

NO HAS PLANCHADO LA ROPA

¿Qué sentido tiene pasarse horas eligiendo el conjunto perfecto... si luego te lo pones sin planchar? Ninguna prenda luce bien con arrugas, no importa lo cara que sea; por tanto, ten siempre a mano una buena **plancha de vapor**. Si odias planchar, compra prendas cuyas telas no se arruguen mucho. Si estás lejos de casa y no hay ninguna plancha a mano, cuelga la ropa en el baño, ya que el vapor del baño y de la ducha ayudará a reducir las arrugas. Si todo esto falla y puedes pagarlo, contrata a otra persona que planche por ti.

SE NOTA LA ROPA INTERIOR

Un gran conjunto puede verse arruinado por una ropa interior visible, por tanto, invierte en prendas bien ajustadas y **sencillas**. Si se te sigue notando la ropa interior, probablemente sea porque tus pantalones o falda te quedan muy ajustados.

DEMASIADOS ESTAMPADOS

No intentes mezclar o combinar estampados, o tendrás un aspecto demasiado recargado. Elige un estampado **para la parte inferior o superior** pero no para ambas. Y recuerda: los estampados no sientan bien a todo el mundo, aunque seas una de esas personas a las que casi todo les queda bien.

LOS ACCESORIOS ERRÓNEOS

Completa tu *look* con complementos que le vayan a tu estilo. Elige un collar del largo correcto para que vaya con la línea del **cuello** del *top* o del vestido. Las cadenas cortas y gargantillas suelen hacer más largo el cuello, y nunca lleves collares sobre un jersey.

TU FALDA ES DEMASIADO CORTA

Puede parecer sexy, pero si no te encuentras **cómoda** con ella estarás continuamente tirando del bajo. Como prueba, asegúrate de que puedes **sentarte** sin tener que preocuparte sobre qué partes del cuerpo estás mostrando.

TRUCOS RÁPIDOS PARA ESTAR PERFECTA

Ahórrate horas delante del espejo en casa consiguiendo que **todo te quede bien** cada vez que compres algo.

- Comprueba siempre cómo te queda algo que vas a comprar en **tres espejos**, para que así te puedas ver desde todos los ángulos.
- Siéntate siempre con una prenda cuando la estás probando. Lo que te queda genial de pie puede **arruinar** tu *look* cuando te sientas.
- De igual forma, date un paseo con la prenda. Muchas faldas y vestidos quedan perfectos cuando estás quieta, pero se **suben** cuando caminas.
- La cinturilla de la falda no **debe fruncirse** o enrollarse.
- Las mangas de las chaquetas deben tocar la muñeca.
- La tela no debe colgar o fruncirse en las áreas problemáticas (por tanto, no lleves nada muy estrecho).
- No compres nada con la idea de ponértelo cuando bajes de peso. Por el contrario, compra prendas que **camuflen** las áreas problemáticas.
- Invierte en **arreglos**. Las prendas que no te quedan bien nunca saldrán del armario.
- Olvídate de la moda. Encuentra el **largo** que más te **favorezca** y ¡sigue con él!

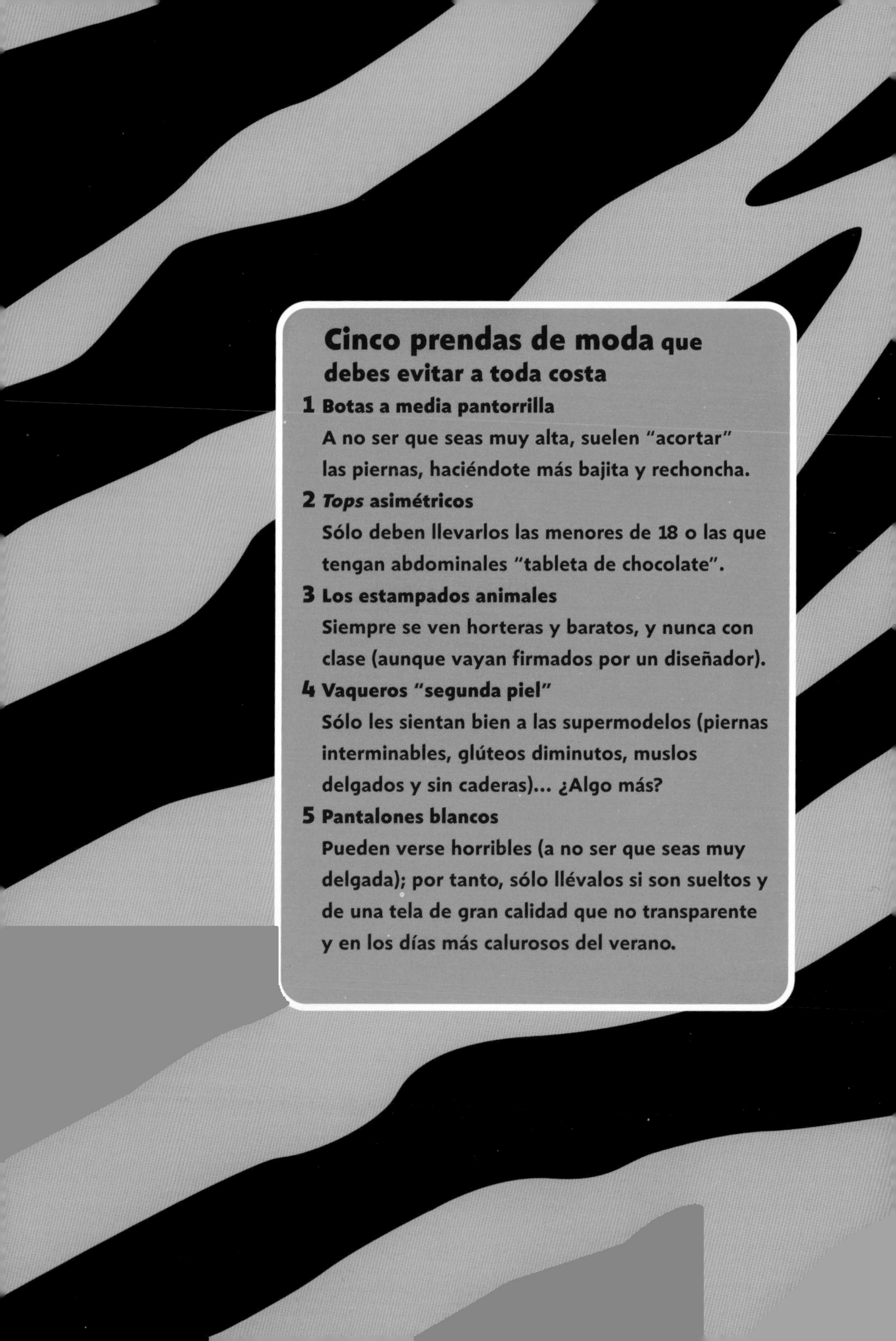

Cinco prendas de moda que debes evitar a toda costa

1 Botas a media pantorrilla

A no ser que seas muy alta, suelen "acortar" las piernas, haciéndote más bajita y rechoncha.

2 *Tops* asimétricos

Sólo deben llevarlos las menores de 18 o las que tengan abdominales "tableta de chocolate".

3 Los estampados animales

Siempre se ven horteras y baratos, y nunca con clase (aunque vayan firmados por un diseñador).

4 Vaqueros "segunda piel"

Sólo les sientan bien a las supermodelos (piernas interminables, glúteos diminutos, muslos delgados y sin caderas)... ¿Algo más?

5 Pantalones blancos

Pueden verse horribles (a no ser que seas muy delgada); por tanto, sólo llévalos si son sueltos y de una tela de gran calidad que no transparente y en los días más calurosos del verano.

DESASTRES EN EL CAMINO Y CÓMO SOLUCIONARLOS

SE TE HAN ENGANCHADO LAS MEDIAS

Qué hacer

Lleva siempre **esmalte de uñas transparente** en el bolso. Un toquecito en el enganchón evitará que se forme una carrera.

Táctica de prevención

Compra medias de la talla correcta. Las demasiado pequeñas son más propensas a romperse (por tanto, compra siempre una **talla mayor**).

TU DESODORANTE DEJA MARCAS BLANCAS EN LA BLUSA NEGRA

QUÉ hacer

La mayoría de las marcas de desodorante pueden eliminarse con agua tibia.

Táctica de prevención

Utiliza un antitranspirante diseñado específicamente para no dejar marcas en la ropa.

ALGUIEN HA VERTIDO VINO TINTO EN TU CONJUNTO BLANCO

Qué hacer

Pide al camarero o al anfitrión **agua de soda** o **vino blanco** (son los mejores líquidos para limpiar una mancha de vino tinto).

Táctica de prevención

¡No lleves nada blanco! Juega sobre seguro, y vete de negro a las fiestas donde el alcohol fluya libremente.

TE HA SENTADO SOBRE UN **CHICLE**

Qué hacer

Quita todo el chicle que puedas con un cuchillo y luego aplica **un cubito de hielo** sobre la mancha hasta que se endurezca y, entonces, podrás retirar el resto. Finalmente, lava la zona con agua caliente.

Táctica de prevención

¡Mira siempre dónde te sientas!

TU GATO HA LLENADO DE **PELO** TODO TU **ABRIGO NEGRO**

Qué hacer

Si no tienes un cepillo de ropa a mano, la **cinta adhesiva** va muy bien. Envuelve una mano en cinta adhesiva y úsala para retirar los pelos suelos.

Táctica de prevención

Si es un problema frecuente, lleva siempre un rollito de cinta adhesiva en el en bolso o... **¡afeita al gato!**

TIENES **MARCAS DE AGUA** EN EL ANTE NUEVO

Qué hacer

Frota suavemente las marcas con una lima de uñas, intentando no dañar el ante (esto debería suavizar la mancha).

Táctica de prevención

Compra un ***spray* protector** del ante, y rocía con una capa tus zapatos o chaqueta cada dos semanas.

EL **TACÓN** SE HA ROTO

Qué hacer

Busca un zapatero y mira si se puede hacer algo para recuperarlo. Si no es así, tendrás que buscar una zapatería y comprarte un nuevo par de zapatos.

Táctica de prevención

Lleva zapatos planos si tienes que caminar bastante y lleva siempre un **par de zapatos de repuesto** al trabajo para evitar emergencias como ésta.

SE TE HA ROTO **LA CORREA DEL BOLSO**

Qué hacer

Recupera la correa haciendo un nudo al bolso hasta que se pueda **volver a coser**. Si no se puede recuperar, corta la otra correa y llévalo como bolso de mano hasta que lo puedas sustituir.

Táctica de prevención

Procura no sobrecargar el bolso, ya que el peso extra ayuda a romper las correas. **Vacíalo** una vez a la semana para asegurarte de que no estás llevando cientos de cosas que realmente no necesitas.

★ PISTA Convierte tu bolso en un *minikit* de primeros auxilios que te ayudará ante cualquier emergencia. Lleva un esmalte de uñas transparente, un rollo pequeño de cinta adhesiva, unas tijeritas y unas medias de repuesto. Todo esto debería ser suficiente para solucionar cualquier eventualidad.

CAPÍTULO 4
BELLEZA

¡PONTE GUAPÍSIMA YA!

Y ahora, los toques cosméticos que completan la transformación para estar fabulosa en un instante. Prepárate para resolver tus dilemas con el pelo, el maquillaje y el cuidado del cutis.

¿Andas siempre **corriendo** del trabajo a una fiesta, o de una cena con la familia a una reunión de amigos? Ir siempre aceleradas no nos deja mucho tiempo para cuidar en condiciones nuestro pelo y maquillaje. Afortunadamente, ponerse guapa no lleva horas. Por frenético que sea el programa de trabajo, de vida social y de deporte o ejercicios, con algunos **astutos trucos** puedes convertirte en una mujer ***glamourosa*** y **estupenda** rápidamente.

Tanto si tienes una cita improvisada como si estás intentando prepararte en medio de una mañana ajetreada, estos **trucos de belleza** te pondrán a tono rápidamente... ¡Y nunca más te encontrarás "demasiado ocupada para estar bella"!

Aprenderás a identificar tu tipo de piel y el mejor modo de cuidarla, cómo llegar a tener una **cara perfecta** para un momento especial, y algunas pistas para aligerar tu neceser y prescindir de productos innecesarios, de modo que contenga únicamente lo esencial. Encontrarás **soluciones** para arreglar desastres habituales en segundos, y trucos para transformar tu rostro para una cita o para una fiesta de última hora.

Esta sección aportará también consejos sobre cómo hacerse un eficaz masaje casero, preparar mascarillas faciales en minutos con unos cuantos productos básicos sacados de la nevera, y hacerse perfectas **mini-manicuras**. Todo ello, pensado para ahorrarte tiempo y dinero, y conseguir a la vez que quedes asombrosamente guapa y bien arreglada.

¿CUÁL ES TU TIPO DE PIEL?

Una buena piel es la base misma de la belleza, pero cualquier mujer ocupada sabe que un estilo de vida agitado deja poco tiempo para mimarse los poros. La primera clave para un **cuidado rápido de la piel** es conocer el tipo de piel que tienes para saber qué productos usar, y cómo combatir cualquier problema que surja. Si no estás segura de cuál es tu tipo de piel, rellena este cuestionario para averiguarlo.

P1 ¿CÓMO NOTAS EL CUTIS SI TE LAVAS LA CARA CON AGUA Y JABÓN?

A Tenso e incómodo.
B Suave y agradable.
C Seco y con picor en algunos sitios.
D Muy bien, muy cómodo.
E Seco en unas áreas y suave en otras.

P2 ¿CÓMO NOTAS LA PIEL SI TE LA LIMPIAS CON UNA CREMA LIMPIADORA?

A Relativamente agradable.
B Suave y agradable.
C A veces agradable, a veces siento picores.
D Aceitosa por todas partes.
E Aceitosa en algunas partes y suave en otras.

P3 ¿QUÉ ASPECTO SUELE TENER TU PIEL A LA HORA DE COMER?

A Escamosa y seca.

B Fresca y limpia.

C Áreas escamosas con algo de enrojecimiento.

D Brillante por todas partes.

E Brillante sólo en la "zona T".

P4 ¿TIENES ESPINILLAS A MENUDO?

A Casi nunca.

B Sólo antes del período.

C Ocasionalmente.

D A menudo, y por todas partes.

E A menudo, pero sólo en la "zona T".

P5 ¿CÓMO REACCIONA TU PIEL ANTE UN TÓNICO FACIAL?

A Escuece.

B No pasa nada.

C Escuece y pica.

D La siento fresca y limpia.

E La siento fresca en algunas áreas, pero me escuecen otras.

P6 ¿CÓMO REACCIONA TU PIEL ANTE UNA CREMA DE NOCHE UNTUOSA?

A Se siente muy a gusto.

B Se siente cómoda.

C A veces se siente a gusto, otras irritada.

D Se pone muy grasienta.

E Se pone grasienta en la "zona T", pero funciona bien en las mejillas.

PREDOMINIO DE A: **PIEL SECA**

Tiende a ser escamosa y no te sientes a gusto a menos que acabes de aplicarte una hidratante. Tiene aspecto "apergaminado" por su **incapacidad para retener la humedad**. A menudo la notas tensa, y el viento, las temperaturas extremas y el aire acondicionado aumentan su sequedad. **Sin atención**, es una piel propensa al envejecimiento prematuro.

Qué **hacer**

- No uses agua del grifo ni jabón, pues resecan demasiado. En su lugar, utiliza una crema hidratante untuosa.
- Date masajes con aceite hidratante o suero revitalizante por la noche, para así estimular a las glándulas sebáceas y que produzcan más grasa.
- Sé generosa con el contorno de ojos.

PREDOMINIO DE B: **PIEL NORMAL**

No es grasa ni seca. Tiene un tono homogéneo y una textura suave, sin poros o manchas visibles ni zonas grasientas. **Resplandece de salud** debido a una buena circulación sanguínea. Quizá te salga alguna espinilla antes del período debido al aumento de la actividad hormonal, pero desaparecen pronto. No obstante, cuídate: el abandono produce signos de envejecimiento prematuro y arrugas.

Qué **hacer**

- El único cuidado que requiere es el uso, dos veces al día, de un limpiador facial suave y tonificarla con algún producto suave (como el agua de rosas).
- Usa a diario una hidratante ligera, con un FPS de al menos 15, para mantener la piel protegida de los dañinos rayos UV del sol.
- Una vez a la semana potencia la circulación y suaviza la piel con una mascarilla tensora o hidratante.

PREDOMINIO DE C: **PIEL SENSIBLE**

Cutis delgado y de textura fina, reacciona rápidamente al frío y al calor, por lo que es **propenso a la desecación** y a la insolación. Suele ser seco, delicado y proclive a las reacciones alérgicas. Los cambios de temperatura y algunos jabones pueden irritarlo, dejando la piel enrojecida y con ronchas.

Qué hacer

- Usa una **protección solar** a diario para proteger la piel del daño ambiental. Elige una pensada para pieles sensibles y con un FPS de 30.
- Escoge productos sin perfume, colores y otros posibles alérgenos. Busca la palabra "**hipoalergénico**" en el envase. La gente con alergias específicas debe comprobar siempre los ingredientes, ya que "hipoalergénico" sólo significa que ha sido sometido a ciertas pruebas en piel, no que no puedas ser alérgica a la crema.
- Usa una **leche limpiadora ligera** que puedas retirártela con algodón. El agua puede ser irritante.

★ TRUCO **Si te vas a hacer una limpieza facial, advierte que tienes la piel sensible y menciona los productos o ingredientes que te hayan producido (o te puedan producir) reacciones alérgicas.**

PREDOMINIO DE D: **PIEL GRASA**

Piel brillante con grandes poros y propensa a los puntos negros y las espinillas. Las glándulas sebáceas, que segregan grasa, son demasiado activas y producen **más de la necesaria**. Puede ser hereditaria y emperorar con el embarazo, ciertas píldoras anticonceptivas y altos niveles de estrés, lo que desencadena una mayor producción de grasa. La ventaja de esta piel es que **envejece más despacio** que otras.

Qué hacer

- ✿ La piel grasa requiere una **limpieza suave** con jabón o con un producto espumoso para eliminar la grasa superficial. Evita los productos agresivos que dejan la piel sin grasa. Así, sólo se consigue que las glándulas trabajen más para compensar la pérdida de aceites naturales.
- ✿ Utiliza **hidratantes no grasas** para lograr una textura sin brillos.
- ✿ Usa una **máscara de arcilla** para una limpieza profunda 1 ó 2 veces a la semana (contribuye a prevenir los puntos negros).
- ✿ Elige cosméticos y productos específicos para la piel grasa que lleven la palabra **"no comedogénico"** en el envase. Esto significa que se ha comprobado que no taponan los poros provocando la aparición de manchas.

★ TRUCO **No rehuyas de la protección solar por miedo a añadirle grasa a tu piel... lo lamentarías en el futuro. Elige un gel ligero o una loción específica para pieles grasas.**

PREDOMINIO DE E: **PIEL MIXTA**

Es una combinación de piel grasa y seca. Tiene una superficie grasa **en forma de "T"** formada por nariz, frente y barbilla, pero las mejillas y la zona alrededor de los ojos son propensas a resecarse. Es un tipo de piel muy común y hay que tratarla como si fueran dos tipos distintos.

Qué hacer

- Usa una **loción limpiadora ligera,** que hidrate y **suavice** el área de las mejillas, pero que también sea eficaz para limpiar la "zona T".
- Usa un **tónico** ligeramente astringente en la "zona T", evitando las mejillas.
- Aplica una **hidratante ligera** en las mejillas, y un contorno de ojos para prevenir las arrugas.

Un buen mantenimiento de la piel

- **Para mantenerla en perfectas condiciones y minimizar problemas, intenta hacerte un tratamiento facial todos los meses. Notarás la diferencia. Además, te asesorarán sobre sobre el cuidado en casa y los posibles cambios estacionales de la piel.**
- **Resérvate 30 minutos a la semana para un mini-tratamiento casero. La espera para que se llene el baño es un buen momento. Empieza por una limpieza y sigue con una exfoliación, usando el producto adecuado para tu tipo de piel. Ponte una mascarilla el tiempo recomendado, y luego lava e hidrata la piel. Este simple régimen ayuda a mantener la piel suave y limpia entre tratamientos.**
- **Toma multivitaminas a diario para alimentar tu piel desde dentro y mantenerla sana. Se pueden obtener vitaminas específicas para potenciar "piel, pelo y uñas" (contienen las proporciones adecuadas de vitaminas, minerales y antioxidantes para mantener tu piel sana y lustrosa).**

TU PLAN **FACIAL**

¿Has cancelado una cita para un tratamiento por una urgencia laboral o social? Con los productos de alta tecnología que hay en el mercado se pueden obtener resultados profesionales **cómodamente** en tu **hogar**. Además del mini-facial semanal, prueba este tratamiento intensivo de 60 minutos una vez al mes.

DATE **ESPUMA**

Retira el maquillaje de los ojos con un producto específico y algodón. Luego masajea un minuto la piel con un **limpiador** suave, con movimientos ascendentes y circulares. Céntrate en las áreas propensas a la congestión (frente y nariz). Este paso eliminará el maquillaje y la suciedad superficiales. Aclárate con agua y repite el proceso. La doble limpieza es un truco de salón de belleza que limpia realmente la piel.

FROTA QUE TE FROTA

Una exfoliación hace que todos los productos, desde mascarillas a hidratantes, sean más eficaces. Los tratamientos penetran mejor en la piel si no hay células superficiales muertas que se lo impidan. Opta por una exfoliante de partículas finas, esféricas. Frótala con movimientos circulares hacia fuera y enjuágate la cara. Hay que dejar la piel **suave**, no en carne viva. Si la tienes sensible, usa una crema exfoliante con ácidos frutales. Son productos que puedes dejar actuar sobre la piel como una mascarilla y no son abrasivos.

★TRUCO Nunca uses un exfoliante corporal para la cara. Sus partículas son gruesas, y podrían dañar la delicada piel del rostro.

ENMASCÁRALA

Las mascarillas sirven para tratar multitud de problemas cutáneos. La variedad clásica de arcilla, para piel grasa, absorbe ésta y **desbloquea los poros**. Las mascarillas a base de crema-gel aportan humedad a la piel deshidratada, mientras que las refrescantes y antiinflamatorias alivian la piel sensible. Si la tuya es mixta, usa una mascarilla de arcilla para la "zona T" y una hidratante para las mejillas.

Una vez aplicada la mascarilla el tiempo recomendado, enjuágate a fondo y tonifica la piel con un tónico suave sin alcohol. Finalmente, **aplica** una hidratante rica en vitaminas para tu tipo de piel. Procura programar tu *plan facial* para que acabe justo antes de irte a la cama. Así no tendrás que maquillarte la piel recién limpia (que podrá absorber todos los nutrientes a lo largo de la noche), y te levantarás con un rostro fresco y resplandeciente.

Spa casero

Un tratamiento *spa* casero es un modo excelente de atender a tus necesidades de belleza. Dedicar 1 hora a cuidar tu cuerpo de la cabeza a los pies no sólo te hará sentirte más mimada y atractiva, también te ayudará a librarte del estrés.

- **Crea una atmósfera tipo salón de belleza con velas, un quemador de aromaterapia o incienso, y música *new age* suave.**
- **Baja el volumen del teléfono y deja que sea el contestador el que responda a las llamadas.**
- **Añade aceite relajante de aromaterapia o espuma al agua.**
- **Usa un cepillo o esponja para el cuerpo, ponte mascarillas en el pelo y la cara (o una de hielo), recuéstate y relájate 30 minutos.**
- **Luego, con la piel aún suave por el baño, depílate las cejas y hazte la manicura (consulta también las páginas 306-307).**

Nails

USA EL **VAPOR**

La aplicación de vapor sobre la piel perfecciona el proceso de limpieza. Permite que la piel sude toxinas, una de sus funciones naturales, limpiándola de dentro afuera.

1 No acerques mucho la cara al vapor, o pueden romperse algunos capilares. También puede deshidratar la piel: al evaporarse el agua de ésta, puede perder parte de su humedad. Para evitarlo, aplícate **hidratante** antes de empezar. Si tienes la piel muy sensible, limita el tiempo de exposición al vapor en la ducha caliente diaria.

2 Llena un cuenco de agua caliente y añade unas gotas de **aceite esencial.** El de té es bueno para la piel grasa, el de rosa suaviza la piel delicada o madura, el de lavanda es genial para todo tipo de piel (si estás embarazada, consulta a un aromaterapeuta; algunos aceites pueden ser perjudiciales).

3 Colócate una toalla sobre la cabeza, inclina la cara sobre el cuenco y rodea éste con la toalla. Permanece así **5 minutos**.

4 El vapor ablanda los tapones de grasa, como los puntos negros, que bloquean los **poros**. Para eliminarlos, envuélvete las puntas de los dedos en tisú y presiona a ambos lados, pellizcando ligeramente la zona hasta que salga el punto negro.

CURAS SALIDAS DEL FRIGORÍFICO

¿No has tenido tiempo para comprar productos de belleza, pero tu piel necesita imperiosamente **mimos**? Dirígete a la nevera o despensa y encontrarás multitud de curas para la piel, tan buenas que hasta se pueden comer. Lo mejor es que son naturales y no llevan aditivos ni perfume. Prueba alguno de los siguientes productos para recuperar el tono de tu cutis rápidamente.

MASCARILLA DE PLÁTANO

Mascarilla **acondicionadora** para la piel normal.

Ingredientes

1 plátano maduro

1 cucharada de yogur natural

1 cucharada de miel

Cómo prepararla

Machaca el plátano y mézclalo con el yogur y la miel. Aplícatela sobre la cara y déjala actuar 10-15 minutos antes de retirártela. Te dejará la piel suave y reluciente.

MASCARILLA DE **PEPINO** PARA LOS OJOS

Una mascarilla **calmante** para dar luz al área de los ojos, genial para los días en los que has trasnochado.

Ingredientes

1/2 pepino
1 cucharada de yogur natural

Cómo **hacerla**

Ralla el pepino y mézclalo con el yogur. Haz dos paquetes (como bolsitas de té) con papel de cocina y déjalos en la nevera unos 5 minutos. Luego, sácalos y ponte uno sobre cada ojo. Finalmente, recuéstate y limítate a relajarte durante 10 minutos.

MASCARILLA DE **TOMATE**

Una máscarilla **astringente**, ideal para equilibrar la piel grasa.

Ingredientes

1 tomate maduro
1 cucharada de yogur natural

Cómo prepararla

Machaca el tomate y mézclalo con el yogur. Póntela en la piel y déjala 10 minutos. No la uses si tienes la piel sensible: el zumo ácido de los tomates pueden irritar las pieles delicadas.

MASCARILLA DE **MIEL**

Máscarilla rica y nutritiva, buena para la piel seca.

Ingredientes

2 yemas de huevo
2 cucharadas de miel
1 cucharada de aceite de almendras

Cómo prepararla

Mezcla las yemas de huevo, la miel y el aceite de almendras. Aplícatela con palmaditas en la cara y déjala secar 10 minutos. Enjuágala para obtener una piel asombrosamente suave.

CUIDADOS MATINALES: RUTINAS

Si por la mañana andas muy mal de tiempo, adopta esta sencilla y **nada estresante** rutina para cuidarte el cutis.

1

Haz de la **limpieza** una prioridad. Usa un producto rápido y con ingredientes suavizantes que ayude a eliminar las manchas y la hinchazón matinal.

2

Olvídate del tónico y usa una **hidratante** para la cara sólo donde sea necesario.

3

Elimina las manchas con una rápida aplicación de aceite de árbol de té sobre la zona.

4

Si no dispones de tiempo para tratamientos faciales, ni siquiera para una mascarilla de 15 minutos, recurre a los últimos productos de acción inmediata. Muchas marcas de cosméticos ofrecen **tratamientos rápidos**, como mascarillas y cremas exfoliantes que sólo hay que aplicar durante 2 ó 3 minutos... ¡Justo el tiempo que empleas en planchar ese *top* mientras te preparas para salir!

REMEDIOS RÁPIDOS

¿Quién no ha sufrido uno de esos instantes de espanto al levantarse y mirarse en el espejo? He aquí cómo combatir algunos de los **peores momentos de la piel** en minutos.

UNA **MANCHA ENORME**

No la toques con los dedos porque sólo conseguirás empeorarla. Aplica encima un cubito de hielo para reducir la hinchazón y luego **aceite esencial de árbol de té** con un algodón. Cúbrela con algo de maquillaje y déjala.

OJOS HINCHADOS

Por lo general, una señal de "mala noche". No cometas el error de intentar ocultarlos con maquillaje. Ponte una compresa fría o un **antifaz** 5 minutos. Usa una capa fina de maquillaje que refleje la luz para "clarear" esa zona.

LABIOS ESTROPEADOS

Extiende vaselina o bálsamo labial en un cepillo de dientes viejo. Frótate suavemente los labios con movimientos circulares para así eliminar zonas resecas. Límpiatelos y aplica una nueva capa de vaselina para tener unos "morritos de infarto".

PIEL MATE

Usa una exfoliante facial para eliminar células muertas. Aplica un **suero iluminador** que tensará la piel, potenciará la circulación sanguínea y dará a la primera un brillo sano. Finalmente, añade un toque de colorete rosa a tus pómulos.

RONCHAS HINCHADAS

Aplica una mascarilla calmante 10 minutos. Elige una que no se solidifique y que contenga **ingredientes antiinflamatorios** -hoja de frambuesa, camomila, caléndula-, pues ayudan a reducir el enrojecimiento. Una vez eliminada, extiende una capa fina de hidratante con color para igualar el tono de la piel.

QUEMADURAS SOLARES

Toma una aspirina para reducir la inflamación y aplícate una **loción para después del sol**, con extracto de aloe vera para un alivio máximo. No intentes cubrir el enrojecimiento con una base de maquillaje. Utiliza un poco de hidratante con color. Mejor prevenir que curar: usa un FPS alto la próxima vez.

"ZONA T" BRILLANTE

Un remedio rápido para evitarla es pasar un pañuelo de papel o un tisú, y luego aplicar una fina capa de **polvos mates** (utiliza un pincel grande para quitar el exceso).

CÓMO SALVAR LA PIEL TRAS UNA FIESTA

Has trasnochado, demasiado alcohol, poca agua: un desastre para tu piel. Por la mañana, frente al espejo, sólo descubres hinchazón, ojeras, piel fláccida y seca, grandes puntos rojos... **¿Qué hacer?**

- El problema será una piel deshidratada. Para una mejoría instantánea, **sacia la sed de tu piel** con una mascarilla hidratante. Extiéndela por toda la cara, incluyendo los párpados, y déjala el mayor tiempo posible.
- Si te acuerdas, y estás en condiciones, intenta darte una **hidratante** antes de caer en la cama de madrugada. El esfuerzo valdrá la pena.
- A la hora de de ocultar los destrozos, la mayoría cometemos el error de usar mucho maquillaje, intentando tapar la piel, lo que puede empeorar aún más las cosas. Todo debe ser **ligero y natural**, a base de productos que reflejen la luz y den a tu rostro un brillo sano.
- Usa un producto ligero para cubrir las ojeras y difuminar el contorno de éstas, y mucho brillo de labios (en vez de lápiz labial, que se cuarteará sobre los labios ya agrietados).
- Si el tiempo (y tu jefe) lo permiten, acude a un salón de bellleza en tu hora de comer para que te apliquen un **mini-tratamiento** que aporte a tu piel el toque final.

KIT ESENCIAL DE MAQUILLAJE

Para ahorrarse un tiempo precioso, una mujer ocupada ha de adoptar un enfoque minimalista en lo relativo al maquillaje, así que... aligera tu neceser. He aquí los **10 productos** necesarios para un repaso rápido y un aspecto fabuloso.

Base

Opta por un producto adecuado a tu tipo de piel, que cubra moderadamente. Algunas marcas mezclan tonos personalizados para conseguir el **color perfecto**. Es algo más caro, pero vale la pena. Recuerda: no apliques base en toda la cara a diario, sólo la necesaria. Si tu piel tiene buen aspecto, ahorra tiempo y sáltatela.

Corrector de imperfecciones

Compra un color un poco **más claro** que el de tu piel y, con un pincel limpio, cubre las sombras oscuras, manchas y otras imperfecciones en segundos.

Polvos

Los sueltos son los mejores, ya que dan un **acabado natural** y son fáciles de aplicar. También es buena idea llevar una caja de polvos compactos en el bolso para retoques.

Lápiz para las cejas

Elige uno que tenga el mismo color que tus cejas y úsalo para rellenar o **definir** donde sea necesario.

Perfilador de ojos

Elige un lápiz de **textura suave,** fácil y rápido de aplicar.

Sombra de ojos

Dispón de un **color de diario**, y otro con brillo para por las noches. Los degradados y combinaciones deben dejarse a los profesionales. Limítate a 1 ó 2 combinaciones para no complicarte la vida.

Colorete

Con el tono adecuado parecerás **más joven** y **sana**. Los coloretes en crema y en gel son rápidos y fáciles de aplicar.

Perfilador labial

Déjalo para las salidas **nocturnas**, ya que aplicártelo en tu rutina diaria lleva demasiado tiempo.

Barra de labios

¡Olvídate de los pinceles! Pintarte los labios **directamente con la barra** es mucho más fácil e igual de eficaz. Compra un tono neutro, y otro más audaz y sexy para las noches.

Máscara

Úsala a diario para **definir los ojos** y alargar las pestañas. Elige fórmulas *waterproof* para no tener que preocuparte de retocarla o de que se te corra durante el día.

Glamour en una isla desierta

Si estuvieras varada en medio de ninguna parte, ¿de qué tres productos no podrías prescindir? Prescinde de lo que no es indispensable y descubre atajos para arreglarte: serás una *belleza superviviente*.

BELLEZA: DOBLE FUNCIÓN

Si tienes prisa, o poco espacio en el bolso, los productos dos en uno o **multiusos** pueden salvarte la vida. Prueba estos trucos.

- Puedes utilizar **polvos bronceadores** para maquillarte con un poco de creatividad. Úsalos como colorete y como sombra de ojos, y luego mézclalos con un poco de vaselina para conseguir un **brillo de labios**. Con un toque de vaselina en las pestañas y las cejas completarás tu "aspecto arreglado".
- Invierte en algunas **barras tres en uno**, pensadas para labios, mejillas y ojos. Permiten unificar el maquillaje rápidamente.
- La máscara marrón se puede usar para arreglar y **definir** las cejas, así como las pestañas.
- Lleva un paquete de **toallitas para la cara** (que limpian, tonifican e hidratan), si no tienes tiempo ni energía para usar tres productos.

CUENTA ATRÁS

¿Te suena lo de pintarte por etapas? Sigue estos pasos para maquillarte en minutos. Cuanto menos tiempo tengas, más pasos puedes saltarte.

10 **Limpieza**
Usa toallitas faciales para una limpieza rápida.

9 **Hidratante**
Aplica una hidratante ligera y retira el exceso a los 2 minutos.

8 **Aplica la base**
Una hidratante con color se mezcla rápidamente y añade color.

7 **Corrector**
La versión en crema se funde enseguida, y puede usarse sin base.

6 **Colorea las mejillas**
Aplica color sólo en los pómulos para lograr un sonrojo natural.

5 **Céntrate en los ojos**
Un color claro de base, y uno más oscuro en el arco de los párpados.

4 **Realza las pestañas**
Elige máscara alargadora para conseguir un mayor efecto.

3 **Arréglate las cejas**
Peínalas y dales forma con un cepillo especial para cejas.

2 **Añade el color de labios**
Los brillos y fórmulas transparentes son más rápidas y fáciles de aplicar.

1 **Listos, ya**
Concluye con un toque de polvos translúcidos.

BELLEZA Y CITA RÁPIDA

Él llama al timbre, pero no estás ni remotamente presentable. No te sientes confiada, ni atractiva. La situación tiene remedio, y puedes darle la vuelta a tu favor. No pierdas la calma y recobra la iniciativa recordando algunas claves de belleza. Primero, **estar fresca y limpia**, ¡o al menos que lo parezca! Y ahora viene la parte complicada. Te harán falta ciertas **habilidades** para resultar **sexy** ante sus ojos y tendrás que actuar deprisa. Ha venido para estar contigo, no para esperar solo mientras te pasas horas encerrada en el baño.

Presta especial atención a tu piel. **Hidrata** las zonas ásperas, así como las que queden a la vista, como el escote, las piernas, los talones (en especial si llevas calzado que los deje al descubierto) y las manos. Después, retócate rápidamente la cara. Aplícate un **iluminador** y cubre los círculos o manchas con corrector. Luego, pasa a los ojos, mejillas y labios. No tendrás tiempo para pinceles de maquillaje, así que usa una barra multiusos (*véase* página 270) antes de finalizar con la máscara. Si no tienes el pelo empapado y necesitas secarlo, cepíllatelo y listo.

Medidas desesperadas

1. **Olvida la ducha, refréscate con un par de toallitas para niños, aplícate desodorante y un toque de perfume o colonia.**
2. **Retócate las cejas (parecerás fresca y limpia).**
3. **Si tienes el esmalte de uñas desconchado, quítatelo y llévalas sin pintar (límpialas bien con un cepillo).**
4. **Si no tienes pasta de dientes a mano, mastica chicle o un par de caramelos de menta para refrescarte el aliento.**

DEL TRABAJO A LA FIESTA

Todas hemos pasado siglos haciendo cola en el aseo de la oficina para conseguir un hueco ante el espejo y arreglarnos un poco para una fiesta o un compromiso después del trabajo. Aprende a **transformar tu aspecto** en 10 minutos. Así no llegarás sofocada y mal arreglada.

PELO

- Nada supera a un "recogido" para **transformar** un *look* diurno en uno nocturno. Lávate el pelo la mañana de la fiesta. Al contrario de lo que se cree, el pelo limpio es más fácil de recoger, ya que tiene mucho más volumen.
- Un **estilo rápido**: desde la coronilla, limítate a coger mechones al azar, cárdalos un poco en la base, retuércelos y sujétalos con horquillas. Necesitarás 8 mechones para toda la cabeza, que aportarán un toque desenfadado y moderno. No te molestes en que quede perfecto y deja que los extremos sobresalgan: el resultado será sexy y estiloso.
- Para fijar mejor el pelo, **rocía** cada mechón con laca antes de sujetarla. Elige un producto que contenga abrillantadores para que quede muy brillante.
- ***Glamour*** nocturno al instante: ponte algunas joyas con brillo en el pelo. Distribúyelas para que reflejen la luz y reluzcan cuando muevas la cabeza.

MAQUILLAJE

- Los tres lugares mágicos son la frente, la nariz y la barbilla. Son áreas expuestas al sol, por lo que una ligera aplicación de polvos bronceadores con un cepillo grande crea un resplandor de apariencia natural al instante.
- Si no tienes tiempo para trazar una raya perfecta con el perfilador de ojos, no te preocupes. Prueba este truco: marca varios puntos justo por encima del párpado, cerca de las pestañas. Luego extiéndelos con un bastoncillo de algodón o el dedo. ¿Resultado? **Ojos "ahumados".**
- Los **rizadores** son obligatorios para conseguir unas pestañas sexys. Despejan los ojos y, junto con las recientes máscaras de doble uso, producen un efecto espectacular.
- Unas uñas pintadas hacen que parezcas más arreglada, pero el secado puede tardar horas. Utiliza **esmaltes de secado rápido** y píntatelas mientras estás sentada ante el ordenador.
- Y para un arreglo de último minuto, recurre a un toque rápido de **vaselina**. Es tan versátil que sirve para casi todo: para las cejas, como brillo de labios y, dado que refleja la luz, si te aplicas un poco en las clavículas y pantorrillas creará una "**sensación** de esbeltez".

★ **TRUCO** Para prevenir el embarazoso "carmín en los dientes", métete el pulgar en la boca después de pintarte los labios y luego sácalo lentamente. Así eliminarás el exceso de color.

Pruebas de mantenimiento

Para prevenir esos días en los que "te ves fatal", entrégate a un buen mantenimiento.

- ★ Elige una noche a la semana para comprobar el estado de tu cuerpo, rostro y cabello. Luego, encarga los correspondientes tratamientos. Por ejemplo, mírate las piernas, el área del bikini y todos los puntos que necesiten una cera.
- ★ Una vez a la semana, comprueba si se te está acabando algún producto y repónlo de inmediato para tenerlo si lo necesitas.
- ★ Lleva un kit básico de maquillaje en el bolso, como el que tienes en casa, para retoques rápidos.

ALIGERA TU NECESER

Todas acumulamos maquillaje y otros productos cosméticos -a veces durante años- pero una buena lipieza te **ahorrará mucho tiempo** por la mañana. Además, evitarás atascarte en la rutina y usar el mismo carmín y sombra de ojos a diario (sólo porque están a mano). Sigue este plan en tres fases para poner los productos en condiciones.

DESTIERRA LOS MICROBIOS

La mayoría de los productos tienen un **plazo de almacenamiento** de 2 años, a excepción de la máscara, que debe reemplazarse cada 3-6 meses para evitar infecciones. Desecha bases, hidratantes y esmaltes que se hayan estropeado. Si no recuerdas la edad de un producto, haz la prueba del "olfato": si no huele bien, probablemente esté caducado.

SI NO LO USAS, TÍRALO

Prescinde de los productos que no hayas usado el último año. Se pueden conservar algunas cosas, como la sombra de ojos con *glitter* y el pintalabios rojo brillante para ocasiones especiales, pero **sé poco piadosa** con todo lo demás. Debes prescindir también de esa barra de labios (por cara que sea) que siempre acabas quitándote porque no te queda bien.

VUELVE A LO BÁSICO

No te compliques. Sé fiel a lo **esencial**, lo que sabes que te va bien para diario, y actualízalo de vez en cuando con productos bien elegidos.

AYUDA CON EL MAQUILLAJE: CÓMO RESOLVER ESOS DESASTRES DE ÚLTIMA HORA

BASE DEMASIADO OSCURA

Si tienes tiempo, quítatela y empieza de nuevo. Si no, usa una **toallita facial** para aclarar y difuminar la base, con especial atención a la zona de la mandíbula y la línea del pelo (para eliminar marcas).

CORRECTOR ESCAMOSO

Si un punto parece seco y escamoso con el maquillaje, elimina éste y frota suavemente con una tela húmeda y caliente. Retira las *escamas* que queden con unas pinzas, aplica una **hidratante no grasa** y luego un poco de corrector con un pincel limpio para labios. Séllalo con un toque de polvos.

DEMASIADO COLORETE

Frótate lentamente, con movimientos circulares, con un algodón impregnado de polvos sueltos. Pásate una **brocha limpia de polvos** por los pómulos para suavizar aún más la intensidad del color.

MÁSCARA APELMAZADA

No te apliques más con la esperanza de igualar las pestañas, ya que sólo conseguirás pegarlas aún más. Espera a que la máscara esté seca, y luego **peínatelas** con un peine para pestañas hasta quitar el sobrante.

MÁSCARA **CORRIDA**

Si no es *waterproof*, un algodón húmedo **borrará el error** sin problemas, Si no, moja el algodón con desmaquillador y límpiate con cuidado.

LÍNEA DE OJOS **TORCIDA**

Si tienes prisa y no hay tiempo para limpiarla y aplicarla de nuevo, conviértela en ***look* "ojos ahumados"**. Espera a que se seque, y difumínala con un pincel húmedo para formar una línea difusa.

MANCHAS DE AUTOBRONCEADOR

Métete en la **ducha** y, con una **esponja** o un producto a base de sal o azúcar, retira todo el falso bronceado que sea posible. Si es necesario, usa un maquillaje corporal lavable para igualar, y una hidratante coloreada para hacer lo propio en la cara.

CINCO CASOS EN LOS QUE NECESITAS UN ROSTRO PERFECTO ¡YA!

LA SITUACIÓN
Quieres parecer **despejada** en la **reunión matinal de la oficina**

Cuando andas mal de tiempo, conseguir que tu piel esté reluciente es lo prioritario. Dedica un par de minutos a aplicarte la base y/o corrector para igualar el tono de la piel y ocultar manchas y ojeras. Fija el resultado con un toque de polvos sueltos y, si tienes tiempo, añade una capa de máscara y un tono natural de barra de labios.

LA SITUACIÓN
Lucir **bien** en una **entrevista de trabajo**

La clave está en no parecer sofocada, aunque hayas corrido como una loca para llegar a tiempo. Intenta darte esmalte rápido en las uñas y arreglarte las cejas para así lograr un acabado pulcro y profesional.

LA SITUACIÓN
Lucir *glamourosa* **para esa copa después del trabajo**

¿No tienes tiempo de quitarte el maquillaje diario y aplicar uno nuevo? No te preocupes, refréscate la piel con un tónico facial en aerosol, retoca el corrector de ojeras y manchas, y repasa la zona de las ojeras con un algodón empapado en desmaquillante de ojos. A continuación, intensifica el maquillaje que lleves añadiendo otra capa de color a las mejillas y los ojos. Concluye aplicándote abundante brillo de labios.

LA **SITUACIÓN**

Quieres estar **SEXY** para un **romántico *tête-à-tête***

Cuando intentas impresionar a un hombre nuevo, es importante lograr el equilibrio entre sutileza y *glamour*. Quieres estar estar guapa, pero no como si te hubieras esforzado mucho. Procura que tu piel esté bien hidratada e inmaculada, y elige una base que refleje la luz para obtener un efecto atractivo. Luego, concéntrate en los ojos y combina colores más oscuros con un perfilado ligeramente difuminado y toques de máscara para lograr una mirada ardiente. Tus labios y tus mejillas estarán rosadas, pero no rojas. ¡Y no uses demasiado brillo de labios si esperas que te besen!

LA **SITUACIÓN**

Quieres parecer **modosita** para **conocer a sus padres**

La regla de oro es parecer natural: lo último que unos padres quieren para su hijo es una mujer "provocativa y vulgar". Usa hidratante con un toque de color (en vez de una base densa) y un poco de corrector bajo los ojos. Que no parezca que has estado de fiesta, aunque haya sido así. Un toque de colorete en crema añadirá un resplandor rosado. Concluye con una capa de máscara y brillo labial coloreado.

★ TRUCO Por si te pillan desprevenida sin nada de maquilaje, lleva siempre crema reparadora y un pincel para labios en tu neceser para así disimular manchas y ojeras.

BÚSCATE UNA AYUDANTE PERSONAL

Para esas ocasiones en las que te sientes incapaz de afrontar sola una fiesta a la que irá tu ex con su nueva novia, o esa reunión tan estirada para recaudar fondos a la que asistirán grandes celebridades, pídele a tu mejor amiga que te peine y maquille. Puede ofrecerte consejo, ayudarte a calmar los nervios y tomar decisiones cuando tu voluntad es un "yoyó" y tienes mariposas en el estómago. Te orientará y no te dejará salir mal arreglada. He aquí un programa para que organices tu tiempo en los días y horas previas al *gran acontecimiento*.

3 días antes

Planea qué te vas a poner, tu maquillaje y peinado. Comprueba que tienes todo lo necesario.

1 día antes

Hazte la manicura, la pedicura, un tratamiento facial y un masaje en la piel. Así te sentirás relajada, mimada y lista para cualquier cosa.

3 horas antes

Usa el secador como una profesional: ponte un poco de espuma o loción moldeadora. Divide tu pelo y sécatelo por zonas. Finaliza con laca brillante para resplandecer como una estrella.

2 horas antes

Aplícate loción corporal, concentrándote en las rodillas y los codos. Si vas a exhibir tu piel, utiliza una que contenga "partículas brillantes".

1 hora antes

Llegamos a la fase final: el maquillaje. Empieza por la base, luego los ojos, los labios y, finalmente, aplícate un fijador labial para que te dure mucho.

CÓMO SER UNA **BELLEZA REBELDE**

Eso sí y lo otro no, haz esto y no hagas aquello... A la hora de ponerse guapa hay tantas recomendaciones que, respetarlas todas, lleva tiempo... por no decir que resulta agotador. Pero tranquila, algunas **reglas** se hicieron **para romperlas**. He aquí las que puedes transgredir sin problemas de ningún género.

MAQUÍLLATE LOS OJOS O USA UN COLOR DE LABIOS FUERTE, PERO **NUNCA LOS DOS** A LA VEZ

No hay razón para que un maquillaje completo resulte exagerado. Escoge **colores neutros** que transparenten el tono natural de tu piel. La crema translúcida o la sombra de ojos brillante resultan bien, al igual que el brillo de labios (añaden un toque de color sin parecer excesivos).

USA SIEMPRE **POLVOS SOBRE LA BASE**

La idea de usar polvos para "fijar" la base se considera hoy muy anticuada, y es cierto que puede hacerte parecer mucho más vieja. La base sirve para igualar el tono de la piel, no para ocultarlo. Lo **natural es lo mejor**. Usa los polvos con mesura para matizar los brillos de la "zona T".

LAS UÑAS DE LAS MANOS Y LOS PIES DEBEN SER SIEMPRE DEL MISMO COLOR

Otra tradición anticuada. En vez de usar el mismo tono en las uñas de las manos y los pies, escoge **colores que coordinen**. Los colores claros en las manos son ideales para todos los días, pero en los pies combinan mejor los colores más oscuros y ricos.

USA UN PERFILADOR

Unos labios naturales y sexys no tienen un perfil marcado alrededor. Los actuales carmines de larga duración son muy eficaces. El **rojo** probablemente sea al único caso en el que puede usarse el perfilador (ya que es un color que tiende a correrse por las pequeñas arrugas de la boca).

NUNCA TE DES HIDRATANTE ENCIMA DEL MAQUILLAJE

Las nuevas hidratantes no grasas son tan ligeras que no alterarán tu maquillaje ni te taparán los poros. Puedes aplicarte un poco para refrescarte durante el día.

DEJA "RESPIRAR" A TUS UÑAS CON SEMANAS SIN USAR ESMALTE

El esmalte proporciona una capa extra de protección contra **grietas y roturas**, pero examínate las uñas al despintártelas por si hay irregularidades, puntos blancos o verdes (que pudieran deberse a una infección por hongos). Si parecen algo amarillentas será por efecto del esmalte. Utiliza una capa de base para evitar que esto ocurra.

LAS MUJERES DEBEN **LLEVAR EL PELO** CORTO **CUANDO PASAN DE LOS 30**

Ahora que los 30 son los nuevos 20... ¿qué peinado hay que llevar? Hay quien afirma que los estilos más largos pueden alargar la cara, envejeciéndola. Si optas por un **moldeado,** con mucha textura, y mantienes tu pelo en buen estado no hay razón para que no te lo dejes largo hasta los 90.

NUNCA SE DEBEN VER LAS RAÍCES

Las raíces o el pelo oscuro debajo pueden resultar "fashion". **Añaden profundidad** y, bien hechas, parecen naturales, no fruto del abandono. El pelo rizado o a capas es ideal para este efecto. Lo que no queda bien es el rubio de bote con 5 cm de raíz marrón oscuro.

NUNCA TE ARRANQUES LAS **CANAS**

Lo de que quitarse 1 pelo gris hará que crezcan **10 nuevos** es un mito. Arrancarse unas canas de vez en cuando no hace daño. Si hablamos de más de unas cuantas, siempre será mejor recurrir a un tinte de color para ocultarlas en vez de arrancártelas todas.

ESTIRAMIENTOS RÁPIDOS

Por desgracia, envejecer es inevitable, pero podemos minimizar los daños y **disimular los años**. He aquí cómo parecer 10 años más joven en otros tantos minutos. ¡Sin cirugía!

1

Aplícate un poco de crema perla en la frente, los pómulos y la comisura interna de los ojos. Parecerás **más joven** y tu rostro más fresco.

2

Ilumina unos ojos lánguidos. Unas cejas bien depiladas proporcionan **unos párpados más abiertos.**

3

Prueba cremas faciales luminosas. Están pensadas para tensar tu cutis y dar a la piel un aspecto más sano y **radiante**, quitándote años en el proceso.

4

¡Sonríe! Deja de preocuparte por las arrugas de la risa. Debido a que perdemos grasa en la cara al envejecer, y nuestras cejas descienden, en reposo tendemos a parecer serias, tristes (o, incluso, enfadadas). Al sonreír, la cara se estira, las mejillas se redondean y pareces más joven al instante.

5

No **exageres con la máscara** y no te pintes las pestañas inferiores. Nada envejece más que el sobrecargado aspecto "arácnido" de éstas.

ATAJOS HACIA UNA PIEL MÁS JOVEN, SEA CUAL SEA TU EDAD

LA VEINTENA

Tu piel debería estar ahora más estabilizada que en la adolescencia. Irán mermando problemas como la piel grasa y las espinillas, aunque el acné adulto, relacionado con los elevados niveles de estrés, va en aumento. Tienes los labios llenos (sin arrugas alrededor), y pocas o ninguna arruga en los ojos. Tu piel funciona bien, pero necesita protección solar para evitar daños celulares que se manifestarán con los años.

Qué puedes hacer

- Utiliza un FPS de (al menos) 25 a diario.
- Usa una crema específica para los ojos para empezar a protegerte esa delicada área.
- Puedes usar casi cualquier maquillaje, pero casi seguro que tu *look* óptimo es el natural: hidratante coloreada, cremas para ojos y cara, y brillo labial.

30

LA TREINTENA

Al ralentizarse la renovación celular, la piel puede empezar a perder algo de su resplandor juvenil. El humo, el alcohol, la contaminación y la luz UV producen envejecimiento prematuro, y un exceso de exposición a ellos pasa factura en forma de líneas en torno a los ojos y la boca. El colágeno y la elastina de la piel se debilitan y se forman arrugas "de expresión". La piel parece más apagada, y es probable que tarde más en reponerse de los trasnoches y el estrés.

Qué puedes hacer

- Utiliza un FPS 25 a diario, y usa sombrero o permanece a la sombra en vacaciones.
- Pásate a una hidratante más untuosa.
- Para una piel brillante, elimina células muertas con un producto con alfa-hidroxiácido (AHAs).
- No uses maquillajes intensos. Aplícate una sombra de ojos crema-polvo, y utiliza barras de tonos mates para las mejillas y los labios.

40

LOS CUARENTA

El ritmo de renovación de la piel se reduce mucho. El cansancio se refleja de inmediato en la cara y puede hacerse más visible. Los sistemas circulatorio y linfático de drenaje se ralentizan también, lo que puede producir hinchazón en torno a los ojos. Las hormonas desempeñan el papel principal en la menopausia: la bajada de los niveles de estrógenos pueden dejar la piel fina y seca.

Qué puedes hacer

- Usa un FPS 25 para proteger la piel del sol y prevenir ulteriores daños a las células.
- Date el capricho de un tratamiento facial al mes para mantener tu piel en buen estado.
- Utiliza una crema que contenga Retinol para exfoliar y reducir las arrugas finas.
- Evita los colores oscuros en los labios y los ojos, ya que acentúan las arrugas. Opta por los tonos melocotón, rosa y beis, y prueba con una base que refleje la luz.

LOS **CINCUENTA**

Si no has protegido tu piel, los daños del sol se manifestarán en forma de arrugas, capilares y manchas de pigmentación. Quizá percibas un aumento aparente del tamaño de tus poros: la piel se ha engrosado alrededor, haciéndolos parecer más pronunciados. El descenso de los niveles de estrógenos reduce la producción de grasa y reseca la piel.

Qué puedes hacer

- Visita a un dermatólogo para determinar las necesidades de tu piel (ahora muy diferentes).
- Aplícate una hidratante rica con un FPS 25. Una protección continua contra el sol impedirá posteriores daños.
- Si optas por relajar las arrugas con *Botox*, procura recurrir a un médico experto. Los efectos secundarios pueden incluir ojos caídos.
- Tu maquillaje debe realzar suavemente tus rasgos. Usa una base que refleje la luz, y colores pálidos para los labios. Evita la sombra de ojos en polvo, ya que se acumula en las arrugas y las acentúa.

CUATRO INGREDIENTES: MAGIA
PARA TENER UNA PIEL MÁS JOVEN

Entre el trabajo y una vida social ajetreada, puede que tu piel necesite una ayuda extra. La ciencia ha descubierto que los siguientes ingredientes combaten el envejecimiento. Si notas irritación o escozor en la piel, deja de usar el producto de inmediato.

1

VITAMINA A

Su acción inflamatoria, que hincha la piel, **reduce** la profundidad de las arrugas.

2

VITAMINA C

Tiene un efecto **iluminador**, ya que ayuda a potenciar la circulación y aumenta la producción de colágeno.

3

ALFA-HIDROXIÁCIDOS (AHAs O "ÁCIDOS FRUTALES")

Mejoran el aspecto de la piel al acelerar el desprendimiento de las células muertas de la superficie de la piel, desvelando otra **más fresca** y de aspecto más joven debajo.

4

RETINOLES

Son productos químicos que estimulan a la piel para que produzca células nuevas más rápido, haciéndola más gruesa y compacta. Al cabo de un mes o dos, la piel se **alisa** y se reducen las arrugas finas, pero al cabo de seis meses el proceso alcanza una meseta y la piel deja de mejorar. Si dejas de utilizarlos, la piel revierte a su estado inicial. Por desgracia, no tiene efecto alguno sobre las arrugas más profundas.

CUIDARSE EL PELO A TODA PRISA

Los cuidados y trucos de los estilistas hacen que tengamos un pelo bonito. Domina estas técnicas y olvídate de los "pelos de loca" aunque tengas una mañana acelerada. Prestar más atención a tu "régimen capilar" te ahorrará tiempo a la larga.

CHAMPÚ

¿Crees que sabes usar el champú? Quizá puedas hacerlo mejor. Para sacarle todo el partido, necesitas **repatirlo homogéneamente**. Utiliza las yemas de los dedos, no las uñas, para no arañar el cuero cabelludo y, sobre todo, nunca te des champú con el agua del baño. Emplea siempre agua limpia para el enjuagado final. Te puedes lavar el pelo a diario, incluso dos veces al día, siempre que uses un champú suave de buena calidad.

USA ACONDICIONADOR

El tipo de acondicionador dependerá de tu tipo de pelo pero, a la hora de aplicarlo, concéntrate en la zona **central y las puntas**. No cometas el error de aplicar el acondicionador como harías con el champú. Usa un peine para distribuirlo homogéneamente por todo el pelo y luego acláralo a fondo, ya que los residuos te dejarán el pelo mate.

APORTAR **TEXTURA**

La brillantina "encierra" la humedad en los mechones y crea un *look brillante*. Con el pelo seco se obtiene un acabado con textura. Para un resultado óptimo, añadir el producto poco a poco hasta lograr el efecto deseado. Recuerda que es más difícil de quitar que de poner. En este caso, menos es más.

DAR ESTILO AL PELO **CORTO**

Es fácil que el pelo corto llame la atención si sabes cómo. Para un estilo sin complicaciones sécate el pelo con los dedos. Coge mechones, sujétalos en vertical y rocíalos para fijarlos. Ve con cuidado al principio, y añade más si es necesario. También puedes secar después de aplicar el producto. Es especialmente "resultón" con los flequillos.

AHUECA **DESDE LAS RAÍCES**

Si quieres añadir "volumen" a tu peinado, tienes que partir de las raíces. Aplica la espuma en la base del pelo humedo antes de utilizar el secador. Prueba inclinando la cabeza hacia adelante para llegar directamente al área que quieras ahuecar.

AÑADIR **MOVIMIENTO**

Que el pelo largo se mantenga bien, hagas lo que hagas, tiene su truco. Para añadirle movimiento, aplica una espuma o similar, y péinatelo con los dedos mientras te lo secas. Luego cepíllatelo para que quede muy suelto. Usa el secador al mínimo para que así tu pelo conserve su cuerpo natural.

TRUCOS RÁPIDOS PARA TENER UN PELO SANO

- Para mantenerlo en forma hay que **cortarlo con frecuencia**. Prueba a hacerlo cada 6-8 semanas y evitarás la fase "intermedia", en la que el pelo se "desmelena" y pierde su forma. Acudir a la peluquería te ahorrará tiempo y complicaciones a la larga, ya que tu pelo será más manejable por la mañana, cuando vas con prisas.
- Para un máximo de eficiencia elige un estilo **"lavar y andando"**, que no requiera técnicas de secado complejas o herramientas especiales. Las melenas largas a capas están muy bien, ya que pueden lucirse sencillas a diario, y luego darles un toque para la noche usando rulos para cambiar el *look*. Si te gusta el pelo corto, opta por un estilo versátil, sencillo para el trabajo, y remodelable con geles o espumas cuando quieras llamar más la atención.
- Una vez a la semana, aplica un **tratamiento de hidratación profunda** para refrescar y proteger tu cabello. Beneficia a todos los tipos de pelo, pero los secos o teñidos deben tratarse más a menudo.
- Si pasas horas alisándote el pelo, piensa en un tratamiento que funcione al revés que una permanente, alisando y suavizando el pelo. Al contrario que los tratamientos "relajantes", emplea calor -no sólo productos químicos- para enderezar el pelo, añadiéndole además humedad para darle brillo.
- Pídele a tu peluquero que te de una **clase de secador**. Él o ella pueden enseñarte algunos de los trucos *del oficio*, y podrás salir de casa como si salieras de la peluquería.

EL ESTILO

Tomar decisiones sobre tu pelo puede requerir semanas de deliberaciones e incontables discusiones con tus amigas. Hacer algo con él requiere aún más **esfuerzo**. Como mujer ocupada, no tienes tiempo para equivocaciones. He aquí unos trucos rápidos para resolver tres problemas de peinado.

PIDE UNA EXTENSIÓN

Las extensiones se han vuelto últimamente tan populares entre las famosas que la mayoría de las peluquerías las ofrecen. Aunque no son rápidas de poner, resultan ideales para ver qué aspecto tendrías con el pelo largo, y pueden mejorar el aspecto en esa fase intermedia del crecimiento.

PRACTICA EL "RECOGIDO" PERFECTO

Cuando tu pelo está sucio o simplemente intratable, recogértelo es una opción segura. El peor error es hacerlo de una vez. La clave está en separar el pelo en mechones y usar pinzas. Para que un moño o una cola de caballo parezcan modernos, llévalos sueltos y no te preocupes si cuelgan los mechones. Aplica un gel con brillo para que parezcan "deliberados" y no "accidentales".

SÚBETE AL "RUBIA EXPRÉS"

"Reflejos exprés": este ingenioso recurso requiere que **dos personas** trabajen simultáneamente sobre tu pelo, aplicando reflejos a la vez. El proceso lleva aproximadamente **la mitad** de tiempo que el habitual. Muchos centros ofrecen también tratamientos faciales, masajes, manicuras y pedicuras "exprés". Consulta si puedes combinar el tratamiento capilar con el corporal para así ganar tiempo.

MÉTODOS RÁPIDOS PARA RESOLVER LOS DÍAS CON "ESOS PELOS"

Si sales por la mañana consciente de que tu pelo te "ha quedado bien", te sientes confiada y segura de ti misma, pero un día con "esos pelos" puede ser el peor modo de empezar la jornada. He aquí **algunos trucos** para conseguir que tu pelo nunca te traicione.

PROBLEMAS Y **SOLUCIONES**

Problema

Pelo encrespado.

Solución

No lo cepilles. Ponte un **suero suavizante** en las manos y dátelo en el pelo, mechón a mechón. Si tienes el pelo rizado, enrolla pequeños mechones con los dedos en anillos apretados, y luego da un tironcito a cada anillo para que cuelgue en un rizo suelto. Espera 15 minutos antes de utilizar el difusor para secar los rizos (éste calentará el pelo sin levantar y dañar la cutícula).

Problema

Pelo lacio.

Solución

Si tienes el pelo lacio y sin vida al despertarte, pulverízalo con agua para humedecerlo ligeramente, luego **dóblate cabeza abajo** y, con las manos, aprieta puñados de pelo desde las raíces. Levanta la cabeza de nuevo y tendrás volumen inmediato. Si tienes el pelo corto, aplica algo de **espuma en las raíces**, frótalas bien y sécalo con el secador al máximo unos segundos. Deja que se enfríe antes de devolver su forma al pelo.

Problema

Cabello graso.

Solución

Si no tienes tiempo de lavártelo, prueba con un **champú en seco**. Espolvoréalo generosamente sobre tu pelo, concentrándote en las raíces, y trabájalo con los dedos. Déjatelo puesto unos minutos y luego cepíllatelo. Los champús en seco contienen una especie de talco que absorbe el exceso de grasa y hace más manejable el pelo. Si sigue pareciendo una "marea negra", recógetelo o, si tienes el pelo corto, retíratelo de la cara con gel.

Problema

Pelo mate.

Solución

Si no tienes tiempo para lavártelo, date una pasada de ***spray* de brillo**, evitando el área de las raíces. Si puedes, lávatelo con un champú clarificador (pensado para eliminar la acumulación de grasa). Sécalo con una boquilla diagonal orientando el secador, de modo que el aire caliente corra hacia abajo y a lo largo del eje del pelo (en vez de directamente sobre él). Se alisará y tendrás un mayor brillo. Quizá valga la pena invertir en un **secador ionizante** que retenga más la humedad natural del pelo, potenciando así su brillo.

COLOR RÁPIDO

RETOCAR LAS RAÍCES

- Si tienes el pelo oscuro, pregúntale a tu peluquera si puede prepararte un **tinte no permanente** que puedas usar como "parche" entre las visitas.
- Si vas a salir pero te preocupan las raíces y no tienes tiempo de teñírtelo, ve a la peluquería más próxima para que te hagan un **tinte vegetal rápido** y un peinado con secador. Esto añadirá brillo al pelo y enmascarará las raíces para una salida nocturna.
- Si no tienes tiempo ni para hacerte media cabeza de reflejos, pídele a tu estilista una **"sección en t"**: te añadirá unos cuantos reflejos a ambos lados de la cara y en la zona de la coronilla (sólo se tarda poco más de 1 hora, la mitad de una sesión de tinte normal).

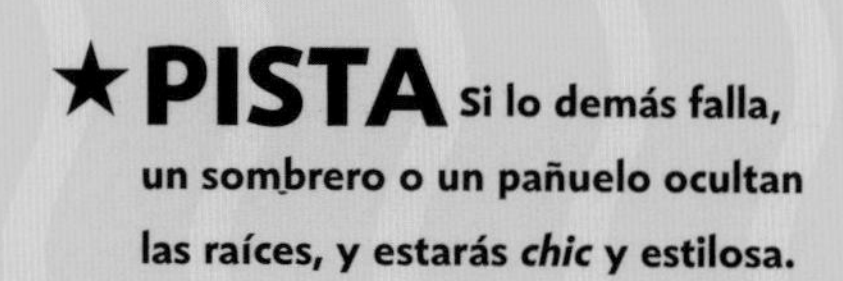

★ PISTA Si lo demás falla, un sombrero o un pañuelo ocultan las raíces, y estarás *chic* y estilosa.

Secretos de belleza

Ponte guantes siempre que vayas a teñirte el pelo en casa para no mancharte las manos. Si te ha coloreado un poco la cara, humedece un trozo de algodón en aceite para niños, zumo de limón o perfume, y frota suavemente sobre la mancha (debería desaparecer enseguida). En el futuro, aplica una capa de vaselina en el contorno del pelo antes de empezar para impedir que el tinte entre en contacto con la piel.

CINCO CONSEJOS PARA EL MANTENIMIENTO DEL PELO TEÑIDO

Estará **más brillante** y ahorrarás dinero en peluquería.

Cuanto más te laves el pelo, más se desvanecerá el color. Si estás acostumbrada a **lavarte el pelo** a diario, y no te gusta espaciar demasiado los lavados, intenta alternar un día de champú y un día de aclarado sólo con agua templada.

Usa siempre **acondicionador**, aunque no lo necesites, antes de teñirte el pelo. **El tinte daña el pelo**, dejándolo poroso y necesitado de humedad para que siga sano y brillante. Aplícalo desde las raíces y masajéalo a lo largo de todo el pelo, concentrándote en las puntas. Enjuágate siempre el pelo a fondo.

No uses espuma, gel ni laca muy a menudo, ya que contienen alcohol que se come el color.

La luz solar descompone el tinte, haciendo que se desvanezca. Para evitarlo, **usa un pañuelo** o un sombrero en la playa y, al pasear bajo el sol, usa algún producto protector con filtros UV.

Si el color empieza a empalidecer y afearse, alarga su vida con un **champú potenciador del color,** que contribuirá a darle vida.

Reserva fecha y evita problemas

Reserva fecha para renovar el tinte. Así, no olvidarás cuánto tiempo hace que te teñiste y no tendrás que pedir cita a toda prisa cuando se te empiecen a ver las raíces. Asegúrate de anotar la fecha en tu agenda de inmediato. ¡Es asombroso el número de citas concertadas con la peluquería que se olvidan!

MANICURAS RÁPIDAS

LA MANICURA DE 5 MINUTOS

Es delicioso que te hagan las uñas, pero si andas mal de tiempo o de dinero, la manicura en casa es la respuesta. Logra hacerte una tan buena como la profesional siguiendo estos sencillos pasos:

PREPARATIVOS

Empieza por quitarte el color con un buen quitaesmaltes. Los que no llevan acetona son mejores para las uñas. Luego, sumerge éstas en un cuenco de agua caliente con un taponcito de quitacutículas. Déjalas a remojo 3 minutos, envuelve el pulgar con un trapo fino y seco y retira hacia atrás las cutículas.

LIMA Y PULIDOR

Para dar forma a tus uñas usa una lima no abrasiva, que no resulte muy áspera al tacto. Lima rectos los costados de la uña y la punta. Trabaja en una sola dirección, nunca con un movimiento de sierra hacia adelante y hacia atrás. Esto debilitaría tus uñas y las haría más propensas a abrirse. No remates las uñas en punta, ya que podrían romperse. Las profesionales dicen que la mejor forma para las uñas es la de las propias cutículas. Así, si tienes las cutículas redondeadas, tus uñas deben ser redondeadas. Luego pule las uñas con un pulidor de tres caras. Esto suaviza la superficie de la uña, estimula el crecimiento de ésta, y ayuda a eliminar posibles restos de manchas de esmalte. Empieza por la cara más áspera, seguida de la intermedia y concluye con la más suave hasta lograr un acabado "de cristal".

ESMALTE

Date aceite para cutículas y masajéate las uñas con crema de manos. Pasa un algodón con quitaesmalte para eliminar la grasa (que evitaría que el esmalte se adhiriera). Aplica primero una capa base y luego dos capas finas del color elegido, esperando un par de minutos entre capas. Añade un protector brillante. Para que la manicura sea duradera, aplica una capa de secado rápido cada día.

PRODUCTOS QUE AHORRAN TIEMPO

1 Las minilimas caben en el más pequeño de los bolsos.

2 Esmalte que seca en 60 segundos: uñas *glamourosas* sin esperas.

3 Fijador rápido, para que no estés inmovilizada durante horas por miedo a que se te corran las uñas.

4 Toallitas empapadas en quitaesmalte para usar en el tren, el autobús o en la oficina.

5 Un corrector para resolver fallos antes de salir de casa.

Trucos para las uñas rotas

- ★ **Lleva siempre una lima y un esmalte transparente y ten a mano cola para uñas, para pegar las uñas "rotas" hasta que vuelvan a crecer.**
- ★ **Si la uña se parte muy abajo, concierta una cita en la manicura. Te aplicarán una envoltura de seda, o una punta acrílica sobre la uña que no será necesario recortar.**

FALSÉALO:
CÓMO TENER UN BRONCEADO PERFECTO

¿Qué mayor eficiencia que lograr un buen bronceado en 10 minutos? Los falsos bronceadores se han hecho más y más populares al ir revelando las recientes investigaciones lo dañino que el sol puede ser para nuestra piel. Se acabaron los productos olorosos de aspecto anaranjado que son difíciles de aplicar. Sigue nuestro plan garantizado para obtener siempre un acabado perfecto.

FRÓTATE LA PIEL

La exfoliación es el proceso más importante al preparar la piel para que absorba el producto bronceador. Cuanto más cuidadosa sea la exfoliación, mejor quedará el bronceado, ya que es vital eliminar todas la células de piel muerta para así evitar que la loción se pegue a ellas y aparezcan manchas.

Empieza por mimarte con un largo baño caliente para tener la piel bien "blandita". Una ducha caliente vale si tienes prisa. Luego, usa un exfoliante en todo el cuerpo para eliminar bien las células muertas y desatascar los poros obstruidos. Es esencial prestar especial atención a las rodillas, los codos y la parte trasera de los talones. Éstas son las áreas más propensas a tener piel más fuerte y con células muertas, y a menudo desenmascaran el falso bronceado. Usa un cepillo con mango para llegar a las zonas difíciles. Te ayudará también a reducir la celulitis, al aumentar la circulación sanguínea en las zonas afectadas. Exfóliate la cara con un producto más suave para evitar enrojecimientos.

AÑADE ALGO DE **HUMEDAD**

Ahora tendrás que hidratar el área que quieras broncear. Hay quien dice que no es necesario, pero da un resultado más natural y homógeneo.

Si quieres broncearte la cara, sólo necesitas exfoliar e hidratar la misma. Si deseas un bronceado general, será preciso exfoliar e hidratar todo tu cuerpo, o la piel no absorberá la loción bronceadora. Empieza por los pies y ve ascendiendo hasta la cara. De nuevo, presta especial atención a las rodillas, los codos y los talones, y aplica la crema con generosidad. Usa una hidratante distinta para la cara, ya que las cremas corporales tienden a ser más densas y taponan los poros de la cara.

APLÍCATE EL PRODUCTO

Debes aplicarte el falso bronceado con **guantes protectores** para evitar manchas en las manos (la primera pista de que tu bronceado no es tan natural como quisieras que creyera la gente). Puedes usar guantes quirúrgicos, que a menudo vienen con los productos de este tipo.

1 Empezando por las piernas, aplícate el falso "bronceado" siguiendo las instrucciones del fabricante. Frota la loción sobre la piel con movimientos rápidos. Si no te das prisa en esta fase de la aplicación, la loción penetrará en tu piel y te dejará feas manchas.

2 Lo mejor es una aplicación ligera en los pies y las manos, ya que ambos tienen arrugas complicadas en las que el color puede quedar desigual. Extiende la loción en las piernas y usa la "película" que queda en los guantes para dártela en los pies y los tobillos, siempre con movimientos rápidos para evitar que queden rayas o manchas.

3 Te puedes pasar un algodón empapado en tónico por los nudillos, los codos y los talones para evitar que éstos absorban demasiado color.

4 Una vez extendida la loción en piernas y pies, frota con la mano enguantada, moviéndola rápidamente sobre la piel y extendiendo cualquier exceso de loción para evitar que aparezcan manchas.

5 Repite el proceso en los brazos, pero no te apliques el producto en axilas y codos; hazlo sólo en la parte superior del brazo, asegurándote de que absorba todo (extiende por axilas y codos la loción que queda en los guantes, pero sin frotar después).

6 Concluye el proceso dándote la loción en la cara, intentando no usar demasiada y que penetre en las arrugas que hay alrededor de la nariz y debajo de las orejas. Alternativamente, puedes usar un producto pensado sólo para la cara.

★ TRUCO **Puedes darte una segunda capa un par de días después, y mantener tu bronceado usando la loción una vez a la semana. Hazte una exfoliación semanal para mantener el color igualado.**

PONTE GUAPA A LA HORA DE COMER

Buscar tiempo para largos tratamientos no nos resulta fácil a la mayoría. ¿Quién no ha mirado el reloj en la peluquería, pensando que llega tarde al trabajo o a recoger a los niños? Por suerte, la mayoría de los salones y *spas* ofrecen tratamientos exprés para **mujeres ocupadas,** que aprovechan la hora de la comida para embellecerse. He aquí algunas de las posibles ofertas.

UN GRAN MAQUILLAJE

REPASOS EN EL *STAND*

Muchos almacenes y *boutiques* de cosmética los ofrecen. Aunque suelen ser gratis o a cambio de la compra de algún producto, tendrás que pedir cita si vas a la hora de comer. El personal está al tanto de los productos del mercado y puede enseñarte los últimos colores y técnicas, lo que te ayudará a prescindir de rutinas, dándote "resultados asegurados". Elige la marca de alguno de tus productos favoritos. Es probable que sus colores y texturas sean de tu gusto.

UNA PIEL RESPLANDECIENTE

MICRODERMOABRASIÓN: UN *MINILIFTING* EN MENOS DE 60 MINUTOS

Pule la piel, elimina la capa superficial de pieles muertas y deja al descubierto la inferior, más fresca y de aspecto más juvenil. Emplea microcristales triturados para levantar las células, potenciar la circulación, reducir la aparición de arrugas y mejorar **instantáneamente la piel**. También es útil para cutis propensos a las manchas. No aplicar sobre pieles sensibles.

UN GRAN BRONCEADO

BRONCEADO EN *SPRAY*: BRONCEADA EN 3 MINUTOS

Muchos salones de belleza ofrecen cabinas de bronceado en *spray*. Sólo tienes que estarte quieta mientras un **conjunto automático de *sprays*** esparcen el bronceador homogéneamente por tu cuerpo y cara. Dura hasta 1 semana, y el tono y acabado resultan naturales.

UNOS DIENTES RELUCIENTES

BLANQUEADOR EN POLVO: UNA SONRISA DE HOLLYWOOD EN MENOS DE 1 HORA

Si bebes café o fumas, es probable que a tus dientes les venga bien un poco de **brillo**, aunque te los cepilles tres veces al día. ¿Solución? Prueba un tratamiento blanqueador que usa decolorantes para aclarar el color general y quitar las manchas. Puedes entrar y salir de la clínica en 1 hora... ¡con unos dientes nueve veces más blancos!

UN PELO GENIAL

SECADO RÁPIDO: PELO SUAVE Y LISO EN 15 MINUTOS

Estás en el trabajo con el pelo sucio, necesitas un peinado y recibes una invitación inesperada para salir esa noche. Vete a la peluquería más próxima, pide un **lavado y secado rápido** y estarás guapísima en nada de tiempo.

UNAS **UÑAS** GRANDIOSAS

MANICURA EN 5 MINUTOS: EL CAMINO MÁS RÁPIDO HACIA UNAS UÑAS PERFECTAS

La manicura no tiene que durar 30 minutos. La mayoría de los salones ofrecen una "miniversión", que consiste en **remodelado y esmalte**. Si tienen esmaltes de secado rápido puedes estar en la calle con unas uñas de ensueño en 5 minutos. Tu jefe no se enterará siquiera de que has salido del trabajo.

UN GRAN **CUERPO**

TODO EN UNO: **PAQUETE DE OFERTA**

Busca una oferta que ofrezca un tratamiento completo de la cabeza a los pies en 1 hora, en vez de las 3 habituales. Con uno que incluya masaje corporal, tratamiento facial y uñas, lograrás una piel resplandeciente y suave en nada de tiempo. Además, será el alivio perfecto para el estrés, en especial si te lo haces antes de pasar una semana al sol o asistir a un evento social.

SALVABELLEZAS DEL FUTURO

Hay avances revolucionarios en **el horizonte** del mundo de la belleza. He aquí algunos de los que debemos estar pendientes desde ya.

EL PARCHE ANTIARRUGAS

En los últimos años, los parches se han convertido en un gran negocio. Los hay de nicotina y anticonceptivos, que funcionan por un proceso llamado **administración transdérmica**, en la que un adhesivo muy delgado libera prolongadamente la medicación. Los expertos dicen que traspasa la piel de modo más **eficiente** que una crema, cuyo menor contacto hace que se **absorban** menores dosis de ingredientes activos. Investigadores de EE UU están probando un parche antienvejecimiento para aplicar sobre la cara durante la noche, que contiene ingredientes punteros como la vitamina C, el colágeno y el té verde. Sólo con usarlo una noche, el resultado es una piel más firme y "rellena".

EL CHAMPÚ QUE LE QUITA AÑOS A TU PELO

Las empresas especializadas intentan desarrollar champús y acondicionadores que devuelvan al pelo la **elasticidad juvenil** de la adolescencia. ¿Qué sentido tiene alimentar la piel con productos antienvejecimiento, si el pelo desvela tu verdadera edad? Al cumplir los 30, el cabello empieza a perder densidad y profundidad de color, y los folículos se debilitan. Pierde peso y no siempre vuelve a recuperarlo. Hay planes para "añadir ingredientes", como el té verde y el colágeno, usualmente reservados a las cremas para la piel y los productos capilares, y así conseguir un cabello atractivo.

SE ACABARON LAS DEPILACIONES

Imagina no tener que hacerte la cera o afeitarte las piernas e ingles nunca más. ¡Maravilloso! Si bien la eliminación permanente del vello es hoy una opción, sólo puede hacerse en centros de belleza y puede llegar a costar una fortuna. Los científicos han inventado un aparato tipo láser que no cuesta demasiado y puede usarse en la **intimidad** de tu **propia casa**. Funciona como un láser profesional, pero es muchísimo menos potente. Calienta los folículos para frenar su crecimiento sin producir dolor ni dañar la piel. Los aullidos y los pelos son ya parte de la historia.

LA LUZ QUE INVIERTE EL ENVEJECIMIENTO

Disponible ya en algunos países, el tratamiento con diodos emisores de luz (LED) -sí, las lucecitas que brillan en tu estéreo- también llamado **"fotomodulación"**, es una de las últimas respuestas para ralentizar el reloj de la edad. Se ha descubierto que los impulsos de baja energía que emiten pueden mejorar el tono de la piel, revertir los daños del sol y suavizar las arrugas. Al parecer, estimulan las células que producen colágeno y elastina, elementos vitales para una piel joven

Al contrario que otros tratamientos con luz, este método no quema ni daña los tejidos, así que no produce rojeces. *Techno-Lit* trabaja en un **modelo doméstico** y espera ofrecerlo, a precio asequible, en pocos años.

TRATAMIENTO DEL ACNÉ SIN ROJECES

Muchas cremas tópicas son excelentes contra el acné, pero eliminan una capa de piel, dejándote la cara enrojecida e irritada. En EE UU se ha comprobado que un nuevo antibiótico tópico elimina rápidamente la rojez de las espinillas y realiza una rápida **limpieza**, con menos irritación que con los tratamientos normales.

LA BASE INTELIGENTE

Vivimos en una era en la que lo personalizado está de moda, así que la idea de un maquillaje diseñado para la piel de su usuaria resulta atractiva. Una conocida y prestigiosa marca está desarrollando una base con **"tecnología espejo"**: diminutas partículas reflectoras reconocen partes claras y oscuras de la piel, y las cubren o aclaran según corresponda. El resultado es una base de aspecto transparente que disimula cualquier imperfección.

AGRADECIMIENTOS

CAROLINE JONES AGRADECE A **Anita Pyre** sus dotes investigadoras. Dedico este libro a mi **madre**, la **mujer más ocupada** que conozco.

LOS **EDITORES** DAN LAS GRACIAS A **Lucy Truman** y a **Paula White** de *New Division*.

Nota del editor
La información y opiniones vertidas en este libro son sólo indicativas y pueden ser de interés general para el lector. No pretenden sustituir, en ningún caso, el asesoramiento profesional sobre nutrición, salud, dietas o *fitness*. Es recomendable consultar al médico antes de embarcarse en una dieta o un plan de ejercicios físicos.